des histoires racontées
par Dolorès Mora, Béatrice Solleau,
Jean-Pierre Fily, Ann Rocard,
et illustrées par Maryse Lamigeon
Monique Gorde, Valérie Michaut,
Corderoc'h, Sophie Kniffke,
Catherine Louis.

50 Histoires courtes et amusantes

© **Editions Lito**
41, rue de Verdun - 94503 Champigny-sur-Marne
Imp. Artia, Prague (Tchécoslovaquie)
Loi n° 49.956.16/7/1949 sur les publications destinées à la jeunesse
Dépôt légal : juillet 1988.

Sidonie la souris

Sidonie la souris alla se promener un jour dans la forêt. Elle courut derrière un papillon et cueillit un bouquet de rhododendrons. Oh, des fraises des bois ! Assise par terre sur son derrière, Sidonie en mangea tellement qu'elle ne vit pas le temps passer.

La nuit tomba et la lune éclaira la forêt.

«Oh, se dit Sidonie, je ne suis pas rentrée à l'heure du goûter. Maman va me gronder.»

Sidonie eut beau marcher, chercher, courir, elle ne retrouvait plus son chemin. Par chance, elle aperçut une cabane, juste à l'orée de la forêt.

Toc, toc, toc ! Sidonie frappa à la porte.

«C'est ouvert, il suffit d'entrer !» fit une grosse voix.

Sidonie poussa la porte.

«Oh, mais tu es un ours !» s'écria-

t-elle, tout étonnée, en voyant le propriétaire de la cabane.

L'ours était très gentil. Il lui prêta

7

des pantoufles fourrées, il lui donna une crêpe au miel et un bol de lait chaud.

Comme Sidonie était fatiguée d'avoir tant marché, il lui proposa de dormir dans le petit lit de son neveu. Puis il mit ses lunettes et lut dans un livre doré un joli conte de Noël qui se passait en Laponie.

«Oh, ma maman va s'inquiéter. Elle m'attendait pour le goûter. Il faudrait lui téléphoner», dit tout à coup Sidonie.

L'ours n'avait pas de téléphone. Il alla donc appeler d'une cabine publique, juste derrière le gros chêne, et revint peu après.

«Voilà, c'est fait. Ta maman est rassurée. Elle nous attend demain matin pour le petit déjeuner. Bonne nuit, Sidonie.»

Elle s'endormit tout de suite, rêvant d'une forêt et d'un gros ours très doux.

L'ours se lava les dents, mit son bonnet de nuit et se coucha dans son grand lit. Il lut le journal puis il éteignit la lumière. Le lendemain, il raccompagna la petite Sidonie chez sa maman.

Ils se revirent très souvent et devinrent de grands amis.

Axel Polichinel

Axel Polichinel courait à perdre haleine par les rues de Dulcinel : le Cirque Rétrograd venait de planter son chapiteau sur la place !

Axel Polichinel était sans travail. Son bel habit usé luisait aux coudes et aux genoux. Il ne mangeait plus que de la purée de pois cassés et sa femme le menaçait de retourner chez ses parents, en Silvanie.

Il se faufila dans la queue des spectateurs.

«Votre billet ? demanda le contrôleur.

— Je suis Axel Polichinel. J'ai rendez-vous avec le directeur !» affirma-t-il.

Le directeur se mit en colère :

«C'est faux ! Qu'on le mette dehors !»

D'un bond, Axel Polichinel fut sur le lustre. Il fit quelques sauts périlleux, il chanta un peu ; hop là ! il termina par deux ou trois pirouettes. Léger comme du duvet d'oison, il retomba sur ses pieds et il salua le directeur.

Charmé, ce dernier l'engagea.

Écuyer sur une vache maigre, clown, acrobate, jongleur, dresseur de puces de Prusse, Axel Polichinel savait tout faire.

Grace à lui, le Cirque Rétrograd étendit sa renommée dans le monde entier. Avec l'argent gagné, Axel Polichinel se commanda des costumes et des chaussures sur mesure.

Quant à sa femme, elle mangea tellement de bonbons, de gâteaux et de pâtés en croûte, qu'elle devint une grosse dondon.

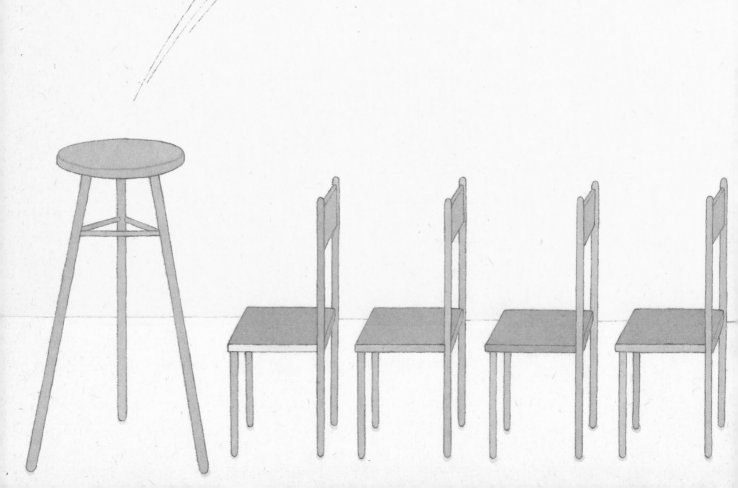

La farce de Mélilot

Lorsqu'il eut fini sa journée de charpentier, Mélilot le mulot rangea ses outils dans l'atelier. Puis il s'habilla en marquis et sautilla jusqu'à l'étang de Julie Grenouille, son amie.

«Bonjour ! dit-il en prenant une grosse voix. Je suis le marquis de Vérifia. J'ai inspecté votre étang : il est dégoûtant !»

Il plongea sa canne dans l'eau, et la retira dégoulinante d'algues.

«Pouah ! Regardez-moi ça ! Vous ne devez pas souvent faire le ménage !»

Julie Grenouille bredouilla :

«Euh ! Euh ! D'habitude, je laisse tout comme ça.»

Impressionnée par le marquis, elle passa le râteau dans le fond de l'étang.

Jérôme Poisson, son locataire, se montra soudain à la surface de l'eau. Il était en colère. Si la grenouille continuait à enlever les algues et les nénuphars entre lesquels il aimait bien nager, il ferait son baluchon, voilà tout !

«Euh ! Euh ! Il faut pourtant que je nettoie, lui expliqua Julie Grenouille. Méfiez-vous, ajouta-t-elle, le marquis de Vérifia est à côté de moi.»

Le poisson lui tourna le dos.

«Je n'ai pas peur de lui ! affirma-t-il. Hop, plus d'algues, je déménage !»

Il partit faire ses bagages.

Mélilot était bien embêté : voilà que sa farce tournait au vinaigre !

«Hum ! Hum ! En vérité, je suis Mélilot ! Julie, j'ai voulu plaisanter, expliqua-t-il.

— Oh ! Oh ! Mélilot ? Eh bien, fieffé coquin, vous allez tout remettre en place !» décida la grenouille.

Mélilot replanta les algues, les nénuphars, et le poisson resta. Quand l'étang fut redevenu comme avant, Julie Grenouille éclata de rire :

«Ah ! Ah ! Ah ! Dire que j'ai été assez bête pour nettoyer l'étang !»

Mélilot le mulot et Jérôme Poisson rirent aussi de bon cœur.

Honoré Cochon

«Non ! dit Honoré Cochon à ses parents, je ne serai pas marchand de boutons. »

Il alla retirer ses économies de la banque, et quitta la maison. Tudieu ! La vie était semée d'embûches : il faussa compagnie à un méchant loup, à un renard affamé, à un garçon boucher.

Enfin, il s'installa dans une ancienne cabane de bûcheron, au beau milieu de la forêt.

Honoré Cochon était content. Il cultivait des roses trémières, il se lavait dans la rivière et il mangeait des oignons crus.

Il pensait à son avenir : «Quel métier vais-je choisir ? Chanteur ? Je grogne ! Danseur ? Je suis trop gros ! » Il décida de devenir poète. Il s'habilla de velours noir, mit un chapeau à larges bords et une lavallière à pois. Honoré Cochon alla chercher l'inspiration près d'une cascade. Sapristi ! Lorsqu'il vit l'eau écumante, les fleurs autour et les rochers, il se sentit tout chose ! Les yeux au ciel, le groin en l'air, il soupira. Hélas ! il écrivit juste : «Euh ! C'est beau. Euh ! Ça me plaît», sur son carnet.

Un jour, une carriole conduite par une vieille bique vint à passer par là. Trois cents ballons au moins étaient attachés à sa patte.

«Bonjour ! s'exclama-t-elle. Je viens pour la dernière fois boire l'eau de la cascade. Dès demain, je prends ma retraite. Je vais habiter à la montagne, chez ma sœur jumelle. A pro-pos, je cède mon commerce. Cela vous intéresse peut-être ?»

Honoré Cochon fit un bond :

«Bien sûr ! J'ai trouvé : je veux être marchand de ballons !»

Honoré Cochon vendit donc des ballons dans les villages des environs. Dès qu'ils entendaient tinter les joyeux grelots de sa carriole, les enfants accouraient en criant : «Voilà Honoré !»

Pour Noël, il leur fit une surprise. Il lâcha tous ses ballons qui s'envolèrent comme des confettis.

Émerveillés, les enfants dirent: «Oh !»

Honoré Cochon, le marchand de ballons, était devenu un vrai papa gâteau !

Le jardin de Petit-Loir

C'était l'automne et les feuilles tombaient. Papa Loir et Petit-Loir se préparaient à hiberner. Mais Petit-Loir voulait d'abord planter le bulbe de jacinthe que la taupe lui avait donné : « Fais-le bien avant les premières gelées !» lui avait-elle recommandé.

Il l'enterra dans un pot qu'il posa sur le rebord de la fenêtre, et puis il se coucha.

Quand le printemps fut là, tra déri, tra déra, le merle siffla avec entrain. Et le parfum de l'amandier en fleur réveilla Papa Loir et Petit-Loir.

« Bonjour, fiston ! Le printemps est arrivé ! Ho ! hisse ! Lève-toi !»

Petit-Loir se frotta les yeux. Eh, oui, c'était le printemps. Sapristi, ce qu'ils avaient maigri, papa et lui. Ils avaient les jambes comme des spaghettis !

Papa Loir prépara un bon repas de glands et de châtaignes.

Petit-Loir alla se promener.

«Coucou ! Coucou ! fit le coucou du haut de son arbre.

— Bonjour ! Bonjour ! » lui répondit Petit-Loir.

Les primevères avaient fleuri. Le pissenlit avait poussé. Youp, youp, tra la la ! Petit-Loir se balança à une branche de poirier.

«Alors, Petit-Loir, lui demanda la taupe, qui respirait l'air vif sur le pas de sa porte, tu as bien dormi ?

— Oh, oui, taupe ! Je me réveille à peine !

— Et ta jacinthe ? »

Oh ! là ! là ! Petit-Loir l'avait oubliée.

Il partit comme une flèche.

La coquette jacinthe étalait ses pétales sur le rebord de la fenêtre.

« Papa ! Taupe ! Coucou ! Merle ! Ma jacinthe a fleuri !» cria-t-il.

Ils vinrent l'admirer.

Petit-Loir décida de se faire un tout petit jardin, là, devant la maison. Papa Loir l'aida à bêcher la terre. Petit-Loir sema quelques graines, et ma foi, il lui poussa un jardin joli comme tout.

Adelaïde Poulenoire

Adélaïde Poulenoire vivait à la ferme des Trois Mûriers. Un jour, elle eut envie de couver une paire d'œufs blancs. Il en jaillit bientôt deux tout petits poussins. A peine nés, ils s'ébrouèrent, dirent «piou piou», et mirent leurs pas dans ceux de leur mère. Elle les appela Poussin et Poussine. Vifs et dégourdis, ils adoraient se promener, cueillir des choses, et regarder. Adélaïde Poulenoire leur demandait souvent de menus services, qu'ils lui rendaient bien volontiers. Un dimanche, elle invita à déjeuner Gaétan Pélican, son ami de toujours.

«C'est un gourmand, il aime beaucoup les oursins. Je vous en prie, mes chers petits, allez vite m'en ramasser sur les rochers !

— Oui, m'man !» répondirent les deux poussins.

La saison étant propice, ils eurent tôt fait de remplir leurs paniers. Zip ! juste au moment de repartir, Poussine glissa sur une algue, et plouf ! elle tomba à l'eau.

«Au secours, je me noie !» hurla la pauvrette.

Comme Poussin ne savait pas nager, il ne put l'aider, et Poussine coula.

James Squale qui passait par là, vit la scène, plongea et repêcha Poussine.

«Assieds-toi sur mon dos, petit oiseau. Le soleil va vite te sécher.»

Poussin sautillait de-ci, de-là :

«Hou ! Hou ! Je voudrais bien venir moi aussi, monsieur le poisson !» s'écria-t-il.

James Squale s'approcha :

«Installe-toi près de ta sœur. Je vous emmène en promenade.»

Il nagea jusqu'à l'île du Mouton.

Se balançant dans un hamac, Jo Mouton faisait les mots croisés de son magazine préféré. Il leur offrit des gâteaux, du sirop, et il leur fit visiter son île.

Poum ! Poum ! Un navire tira deux coups de canon, et accosta. Trois lièvres mirent pied à terre. Ils cherchaient une cachette pour enterrer le trésor qu'ils avaient dérobé à l'honnête équipage d'un navire marchand.

«Allez-vous-en ! Vous êtes sur mon île !» s'écria Jo Mouton.

Les lièvres dégainèrent leurs épées.

«En garde, monsieur le mouton !»

Jo Mouton prit un gros bâton. Ils se battirent donc. Les poussins s'en mêlèrent. Ils les piquèrent avec des chardons bien pointus. De la petite crique où il prenait le frais, James Squale leur lança des cailloux.

Les lièvres perdirent la bataille. Jo Mouton les ligota. Il avertit les autorités. Deux chiens policiers arrivèrent dans un puissant canot à moteur. Ils s'emparèrent des bandits, félicitèrent nos amis et repartirent en trombe.

«Eh bien, quelle aventure ! Au revoir, Jo Mouton !» s'exclama James Squale.

Il raccompagna Poussin et Poussine sur les rochers aux oursins. Ensuite, il s'en alla. Plif ! plaf ! il bondissait entre les vagues.

Poussin et Poussine agitaient les ailes :

«Reviens nous voir un jour, monsieur le poisson !»

Les deux poussins rentrèrent.

Gaétan Pélican leur avait apporté des jouets.

«Vous voilà enfin, mes enfants ! s'écria Adélaïde Poulenoire. Vous avez été longs. Gaétan meurt de faim !»

Elle servit un lait de poule et beurra des tranches de pain de seigle. Gaétan Pélican ouvrit les oursins et ils se régalèrent.

Gustave Loiseau, Verdegris et l'ours bourru

Gustave Loiseau, le chevalier gambette, enfila un short anglais, brossa son toupet de plumes et fit le tour de son nid au pas de gymnastique. Puis il s'en alla en sifflant «tiou-dou-dou». Chemin faisant, il rencontra la grenouille Verdegris.

«Où vas-tu ? lui demanda-t-elle.

— Je vais jouer au ping-pong. Tu viens ?»

Ils échangèrent quelques balles dans une cabane aménagée en salle de jeux.

Toc, toc, toc ! On frappa à la porte. C'était un gros ours chauve. Il entra sans attendre de réponse, il ne dit pas bonjour, et déballa son repas sur la table de ping-pong. Il mangea des œufs durs, des tomates et du saucisson. Et puis, d'une voix rauque, il chanta une drôle de chanson.

Verdegris sauta sur la table :

«Surtout, ne vous gênez pas ! Nous étions en train de jouer, figurez-vous !»

L'ours la regarda :

«Oh ! Je comprends !» dit-il en s'en allant.

Gustave Loiseau sautilla derrière lui :

«Ah, mais pardon, monsieur l'ours ! Vous n'avez pas débarrassé la table !»

L'ours enleva les coquilles d'œufs

et les peaux de saucisson. Il essuya la table avec son foulard, et il partit en leur laissant un pot de miel.

Gustave Loiseau et Verdegris ne savaient que penser.

«Ça doit être un ours bourru ! s'écria Verdegris.

— Ou peut-être un artiste, dit Gustave Loiseau. Il paraît qu'ils sont souvent dans la lune.»

Ils firent encore une partie de ping-pong. Sur le chemin du retour, ils revirent l'ours. Tiens, tiens ! Que faisait-il ? Sapristi ! Il peignait sur une toile le ruisseau frangé de narcisses qui coulait à quelques mètres de là !

Gustave Loiseau donna un coup d'aile à Verdegris :

«Psst ! chuchota-t-il, c'est bien un artiste, tu vois !

— Chut ! Il ne faut pas faire de bruit !» murmura Verdegris.

Ils marchèrent sur la pointe des pieds. Tout occupé à mélanger les couleurs sur sa palette, l'ours ne les vit même pas passer !

La visite chez l'ornithorynque

Martine Souris se faisait du souci : Éva Souricette et Tristan Souriceau, ses enfants chéris, parlaient du nez depuis quelques jours. Un mercredi matin, elle prit la décision qui convenait :

«Nous allons chez l'ornithorynque !»

Tristan Souriceau se moucha :

«Je ne veux bas y aller !»

Éva Souricette éternua :

«Boi non blus !

— Foi de Martine Souris, mes enfants ne parleront pas du nez sans que je sache ce qu'il en est. Éva, noue un ruban à tes tresses ! Tristan, attache tes lacets !» s'écria maman Souris.

Elle mit son beau chapeau à plumes et ils partirent.

L'ornithorynque portait une drôle de lampe sur la tête. Il ausculta les souriceaux. Ils tirèrent la langue, ils lui montrèrent le museau, la gorge, les oreilles et le blanc de l'œil.

«Tout me paraît normal, annonça l'ornithorynque. Alors, pourquoi faut-il qu'ils parlent comme ça, ces jolis souriceaux ? Ils ne voudraient pas se donner un genre, par hasard ? Vous savez, pour qu'à l'école on dise d'eux : «Ah, oui ! Éva et Tristan, les petites souris qui parlent du nez !»

Martine Souris sauta sur sa chaise :

«Les enfants, je veux la vérité ! Est-ce que vous parlez du nez pour faire du chiqué ?

— Bas du tout ! répondirent-ils en chœur. On ne le fait bas exbrès. On a vraiment bal au nez.»

L'ornithorynque était perplexe.

«Où dorment-ils, ces jolis souriceaux ? demanda-t-il.

— Au grenier ! dit Martine Souris. Claude Souris, mon mari, leur a installé une chambre très gaie.»

L'ornithorynque bondit sur ses pattes :

«J'ai trouvé ! Il y a de la poussière

dans un grenier. Vos enfants font une allergie.

— Oh ! Est-ce que c'est grave ?» demanda Martine Souris.

L'ornithorynque la rassura :

«Mais non ! Il suffit d'astiquer le grenier et pfft ! tout sera terminé.»

Martine Souris raconta son histoire à un marchand ambulant. C'était un tamanoir. Il lui vendit un plumeau noir. Les souriceaux et leur maman firent le ménage en grand. Ils chassèrent, par-dessus le marché, une grosse araignée qui habitait dans un soulier.

Frotte et nettoie, nettoie et frotte ! La chambre luisait de propreté. Le lendemain, les souriceaux ne parlaient plus du nez. Ils partirent pour l'école en sautillant. Leur petite queue dépassait comiquement de leur short anglais, fendu derrière tout exprès.

Martine Souris les attendit ce soir-là à la sortie de l'école. Elle les aida à cueillir un sac de noisettes fraîches, qu'ils apportèrent à l'ornithorynque.

Lorsqu'ils rentrèrent dans leur petite maison tout en pierre, ils virent leur papa assis devant la cheminée.

«Bonsoir, baba ! lui dirent-ils pour s'amuser.

— Vous parlez encore du nez ? s'étonna Claude Souris.

— C'est pour rire. L'ornithorynque nous a soignés ! répondit Tristan Souriceau.

— Mais non ! C'est le plumeau qui nous a guéris. Il faut enlever la poussière chacun son tour et tous les jours», précisa Éva Souricette.

Ils mangèrent du pain d'épice sur la table de la cuisine. Pour leur faire plaisir, Claude Souris alluma le premier feu de bois de l'année. Ils s'endormirent en le regardant brûler.

A minuit, papa Souris les coucha tout habillés dans leur joli grenier.

La sorcière d'Édouard

Ce mercredi 1ᵉʳ avril, la sorcière Bisquerage lavait son chaudron dans la rivière.

«Roudougou ! Poudougou !» sifflait-elle entre ses deux dernières dents.

Pendant qu'elle essuyait le chaudron, quelqu'un termina sa chanson :

«Tralalon et tralalou !»

Un petit garçon et son chien marchaient au bord de l'eau.

«Hé, petit ! lui dit la sorcière. Tu as une drôle de houppe sur la tête. Tu ne t'appellerais par Riquet, des fois ?»

L'enfant haussa les épaules :

«C'est pas une houppe, c'est une banane ! Appelez-moi Édouard. Et mon chien, c'est Pimpin.

— Tu sais que je suis une sorcière ?

— Sans blague ! Une vraie ?» fit Édouard.

Elle se dandina :

«Pardi ! Je m'appelle Bisquerage. J'étais première à l'école des sorcières. J'ai même un diplôme. Tu veux que je jette un sort ?»

Édouard ne savait trop que penser de cette sorcière qu'il venait tout juste de rencontrer et, pourtant, la curiosité finit par l'emporter :

«Chiche que vous essayez sur Pimpin mais seulement s'il ne risque rien.»

Elle éclata de rire :

«Alors, là, tu peux me faire confiance !»

La sorcière habitait un vieux camion. Il était laid, rouillé, couvert de toiles d'araignées. Assis sur le rétroviseur, un scarabée tricotait une écharpe à deux couleurs. Il ne leva même pas la tête pour les regarder.

«Ce scarabée est un sauvage !» murmura Bisquerage.

Elle versa dans son chaudron du sirop d'escargot, de la bave de crapaud, du nectar de limace, quelques débris d'or fin et trois cheveux d'aïeux.

«J'ai envie de changer Pimpin en os. Ce serait rigolo, non ? fit-elle.

— J'aime mieux qu'il rapetisse !» répondit Édouard.

La sorcière mit un peu du mélange magique sur le dos de Pimpin.

«Abracadabra ! Foi de Bisquerage, grand chien, je te le dis, tu vas devenir aussi petit qu'une fourmi !» marmonna-t-elle.

Zzz ! Un gros nuage enveloppa Pimpin. Splatch ! il éclata comme un ballon.

Oh, le joli Pimpin ! Il n'était pas plus haut qu'une tête d'épingle. La sorcière, très fière, fit un tour sur son balai.

«Je suis forte, hein ?» répéta-t-elle plusieurs fois.

Édouard la félicita. Pimpin se percha sur le premier bouton de son veston.

Troublé par ce remue-ménage, le scarabée oublia de tricoter une maille. Il dut recommencer un rang. Très fâché, toujours muet, il partit s'installer sur le pot d'échappement.

La sorcière se fit une beauté. Elle se coiffa à l'ébouriffée, mit son cha-

peau pointu et ses souliers à escar-
boucles.

«Zou ! Je vous emmène en promenade !» annonça-t-elle.

Ils s'assirent sur le balai qui, tra, la,
la ! s'envola. Édouard se régalait.

C'était bien mieux que cet horrible
avion qu'il avait pris un jour pour
aller voir mémé. La sorcière survola
la place du village où les copains
d'Édouard jouaient au ballon. Pimpin
reconnut de loin un chien avec qui

il aimait bien se promener le matin.

Il aboya: «Ouaf ! ouaf !».

Les copains d'Édouard regardèrent en l'air :

«Mais c'est Édouard ! Quel veinard, il voyage en balai de sorcière ! Et nous alors ?»

Les mains en porte-voix, Bisquerage ricana : «Taratata !»

La promenade durait depuis un certain temps, quand zing et vroum ! Bisquerage gara son balai dans le jardin de Zoé la sorcière. Son gros chat noir la regardait cueillir des roses et des bleuets.

«Coucou ! dit Zoé avec entrain. Belle journée, n'est-ce pas ?»

Édouard posa Pimpin par terre :

«Hop là ! Marche un peu, paresseux. Ça te fera du bien !

— Miaou !» hurla le chat.

Pfft ! il bondit sur Pimpin.

Édouard se précipita :

— Pimpin, viens vite dans ma main ! Sorcière Bisquerage, je vous en prie, rendez-lui sa taille normale. Il court trop de dangers ainsi !

Bisquerage, heureusement, avait emporté un peu du mélange magique. Elle en mit une noix sur le museau de Pimpin.

«Abracadabra ! Petit chien, redeviens grand !» grogna-t-elle.

Cela réussit et le gros Pimpin poursuivit le chat, qui se réfugia sous le lit de Zoé.

Zoé aimait beaucoup offrir des cadeaux à ses amis. Elle donna à Bisquerage un peu d'herbe aux sorcières, quelques trompettes de la mort et une amanite tue-mouches. Pimpin

mangea un caramel mou et Édouard reçut un petit cake qui contenait une fève en or.

Comme il se faisait tard, Bisquerage raccompagna Édouard et son chien au bord de la rivière, là ou elle les avait rencontrés.

«Venez me voir quand vous voudrez. Je serai ravie de vous montrer de nouveaux tours. A bientôt !»

Et elle repartit sur son balai.

A l'école, Édouard eut beaucoup de succès. Mais aux questions de ses copains, il n'apporta pas de réponse.

«Ah, oui, vous m'avez vu sur un balai de sorcière ?» se contentait-il de répéter.

Ils pouvaient bien penser ce qu'ils voulaient. Édouard avait décidé de ne rien dire, comme ça, pour avoir un genre de secret. Bisquerage était sa sorcière à lui, voilà tout !

Zélie la petite sorcière

En se promenant dans la forêt, Pierre-Jean rencontra une vilaine petite fille. Elle jouait aux osselets. Comme il la regardait, elle leva la tête :

«Bonjour ! s'écria-t-elle. Je suis Zélie, la petite sorcière. Et toi ?»

Pierre-Jean lui dit son nom. Il avait un peu peur. Une petite sorcière ! Et si elle lui jetait un sort ?

Zélie le rassura : elle était très gentille et n'avait pas d'ami. Ils pour-raient peut-être aller faire un tour ensemble ?

Ils suivirent un sentier bordé de digitales pourpres. Tout à coup, une dispute éclata au-dessus des arbres : assise sur son balai, une sorcière laide comme un pou poursuivait un aigle au crâne déplumé.

«C'est ma forêt ! cria-t-elle. Allez-vous-en, affreux oiseau.»

L'aigle s'enfuit.

Bouche bée, Pierre-Jean contem-

plait la sorcière.

«C'est ma maman !» déclara fièrement Zélie.

La sorcière se posa près d'eux..

«Maman, j'ai un ami ! annonça Zélie.

— Bonjour, mon garçon. Voulez-vous une friandise ?»

Pierre-Jean en avait bien envie. Mais il ne voyait pas la moindre boulangerie dans le coin !

«Zou et plouf ! Plouf et zou !» marmonna la sorcière.

Hop, deux énormes glaces à la Chantilly apparurent. Zélie et Pierre-Jean les mangèrent avec appétit.

Zélie fit visiter sa maison à son ami. Elle lui montra ses jouets, son araignée géante qu'elle aimait comme un chien et le portrait de sa maman.

«Je lui ressemble, hein ? Quand je serai grande, je serai aussi forte qu'elle !»

Pierre-Jean éclata de rire. Malgré sa drôle de figure, Zélie était une merveilleuse amie. Il reviendrait souvent la voir dans la forêt et même, il l'inviterait à venir chez lui en ville !

La plume du chef

Les Peaux-bleues vivaient dans la grande vallée du Scalp Frisé. Ils chassaient le bison, domptaient les chevaux sauvages et, pour le plus grand malheur de leurs voisins les Peaux-rouges, refusaient d'enterrer la hache de guerre. Leur chef Vison Buté n'était ni bon, ni sage, mais croyait aux présages. Or, voici qu'un matin, à son réveil, il vit que le soleil avait une barbe blanche. Ce n'était qu'un nuage mais Vison Buté dit : «Les dieux ont parlé !» et, le soir même, il réunit tous ses guerriers.

«L'heure de ma retraite a sonné, leur annonça-t-il. Un nouveau chef doit être nommé. Celui qui rapportera au camp une plume d'aigle noir sera désigné.»

Œil de Taupe et Petite Pluie décidèrent de s'associer. Ni l'un ni l'autre n'étaient de bons guerriers. Quand il fallait charger, Œil de Taupe qui avait la vue basse tournait le dos à l'ennemi. Pendant les combats, on l'envoyait généralement se promener avec Petite Pluie qui, lui, pleurait pour un rien. C'était plutôt gênant pour un Indien.

A la suite de ce discours, quand le coq eut salué le jour, tous les Peaux-bleues munis de flèches, d'un arc et d'une hache partirent vers la montagne sur le sommet de laquelle l'aigle

noir avait fait son nid. Mais pour Œil de Taupe, une montagne c'était bien trop petit. Passant près d'elle sans la voir, il entraîna Petite Pluie dans la vallée, tandis que les autres concurrents commençaient l'escalade.

Les deux amis gambadaient dans la prairie, quand, soudain, ils entendirent du bruit près de la rivière. Ils s'approchèrent. C'était les Peaux-rouges qui pique-niquaient. Petite Pluie eut si peur qu'il se mit à pleurer.

«Viens, éloignons-nous, dit doucement Œil de Taupe, mieux vaut rester discret.»

Il entraîna Petite Pluie derrière un

bosquet... Ça n'était pas un bosquet mais les plumes entassées des Indiens qui se baignaient. Il y en avait une qui chatouillait le nez de Petite Pluie.

«Atchoum !» fit celui-ci.

Les Peaux-rouges alertés sortirent de l'eau. C'en était trop. Petite Pluie éclata en sanglots. Se voyant découvert, Œil de Taupe voulut se défendre, mais au lieu d'une hache il avait pris un parapluie.

«Sauvons-nous !» dit-il à son associé, ce qu'ils firent sur-le-champ, en emportant les plumes de leurs ennemis.

De leur côté, les fiers guerriers Peaux-bleues étaient arrivés au sommet de la montagne. Effrayé par leurs cris, l'aigle quitta son nid et s'envola. Aussitôt, des flèches fusèrent de toutes parts. L'oiseau fut blessé. Tant bien que mal, il survola la vallée et aperçut, en bas, deux bêtes qui couraient.

«Tiens, pensa-t-il, l'autruche a des cousins. Peut-être pourront-ils m'aider ?»

A bout de force, il piqua droit sur les volatiles qui n'étaient autres qu'Œil de Taupe et Petite Pluie, et tomba à leurs pieds.

«Qu'est-ce que c'est ? dit l'un.

— L'aigle noir ! dit l'autre.

— Quoi ? Comment ? C'est magnifique ! Plumons-le tout de suite.

— Il est blessé !» protesta Petite Pluie.

L'oiseau était couché et ne bougeait plus.

«Bon, je me débrouillerai tout seul», fit Œil de Taupe en se penchant sur lui.

Croyant lui arracher des plumes, il retira toutes les flèches fichées dans ses ailes. Petite Pluie le laissa faire sans prononcer un mot. Quand ce fut fini, il prépara des cataplasmes avec des feuilles, et les posa sur les plaies de l'oiseau, qui revint à la vie.

C'est à ce moment-là qu'arrivèrent les Peaux-rouges qui poursuivaient Œil de Taupe et Petite Pluie. Les deux amis se croyaient perdus, quand, soudain, leurs pieds quittèrent le sol. Le manche de leur parapluie était resté accroché à une patte de l'aigle qui emporta ses sauveurs en prenant son envol. Après une petite balade dans le ciel, il se posa sur la plus haute montagne. S'adressant à ses passagers, il leur dit :

«Vous êtes de drôles d'oiseaux. Pas de bec, pas d'ailes, mais quel joli plumage, et je vous dois la vie !

— Si nos plumes te plaisent, elles sont à toi, répondit Petite Pluie, mais en échange donne-nous-en une des tiennes.

— Marché conclu !» fit l'aigle.

Sur le chemin du retour, Petite

Pluie pleurait de joie. Les larmes lui brouillaient la vue. Quant à Œil de Taupe, ça ne changeait rien à l'habitude, il n'y voyait pas. Aussi, voici ce qu'il advint : ils tombèrent dans un ravin.

Mais encore une fois, le parapluie les sauva. Il n'y eut qu'à l'ouvrir comme un parachute pour atterrir tranquillement en bas.

Tandis que les fiers guerriers Peaux-bleues rentraient bredouilles, Œil de Taupe et Petite Pluie revinrent victorieux. De plus, le bruit avait couru qu'ils avaient volé toutes les plumes des Peaux-rouges à eux deux. On les nomma donc chefs ex æquo. Œil de Taupe enterra son parapluie au lieu de la hache de guerre, mais il y eut tout de même la paix. Petite Pluie sécha ses larmes pour que ses peintures ne coulent pas. Un chef barbouillé, ça ne fait pas très sérieux.

Ainsi l'on vécut heureux, chez les Peaux-rouges comme chez les Peaux-bleues, et sur tout ce bonheur, on vit parfois planer un drôle d'aigle noir aux ailes bariolées.

Vert Lutin des cornichons

Un jour qu'il mangeait des cornichons, Bertil Pijamo trouva dans le bocal un tout petit bonhomme vert. Ça alors ! il avait un scaphandre, une bouteille d'oxygène et une mandoline enveloppée dans un plastique.

«Pouah ! j'empeste le vinaigre. J'aimerais bien me laver», marmonna-t-il.

Bertil l'accompagna à la salle de bains.

Il s'appelait Vert Lutin et avait eu envie de passer quelque temps dans un pot de cornichons.

Lorsqu'il se fut lavé et parfumé, Vert Lutin fit des entrechats sur le lavabo, juste à côté de la savonnette et de la brosse à dents.

Ensuite, Vert Lutin s'assit sur le rebord de la fenêtre. Et dans la nuit luisante d'étoiles, il récita un petit poème en jouant de la mandoline.

Puis il éternua, se moucha, fit une cabriole et sortit un cachou de sa poche :

«Si tu le prends, tu deviendras minuscule, et je pourrai t'emmener dans mon pays.»

Bertil mit son costume de voyage. Il avala le cachou. Sapristi ! il avait drôlement rapetissé. La plinthe était maintenant aussi haute que le mur qu'il avait escaladé un jour pour récupérer son ballon chez le voisin.

Vert Lutin regarda dehors :

«Hep, taxi ! Vous êtes libre ? demanda-t-il.

— Zz ! zz ! fit un moustique. Vous allez où ?

— A Minigreenland ! Hé ! Hé ! c'est mon pays !» répondit le petit homme vert.

Ils s'assirent sur le moustique.

Au bout de quelques kilomètres, le moustique donna des signes de fati-

gue. Il zigzaguait à ras de terre, souf-flait et crachait comme un vieux mousquetaire.

Vert Lutin décida de changer de monture. Dans un relais de poste, il choisit une guêpe. Sportive, musclée et peu bavarde, elle les conduisit vite fait à Minigreenland.

Saperlipopette ! que se passait-il ? Les drapeaux étaient en berne, les magasins fermés, et les pelouses pein-tes en noir.

Vert Lutin et Bertil allèrent aux nouvelles. Le roi et la reine les reçu-rent dans leur palais. Dieu ! qu'ils avaient changé ! Échevelés, pas lavés, en haillons, ils pleuraient sans arrêt.

« Il y a juste huit jours, expliqua le monarque, une horrible mouche à trois têtes a enlevé Laurette, notre fille unique, belle comme un astre. Ah ! Vert Lutin, si tu étais resté ici, ce malheur ne serait pas arrivé !

— Zou ! ne pleurez plus. Je vais vous la ramener. Où demeure le monstre ? demanda Vert Lutin.

— Dans un trou de rocher, gardé par sept mites, couvert de toiles d'araignées, de lianes enchevêtrées, collées à la bave d'escargot. J'y ai perdu mes meilleurs soldats », répon-dit le roi.

Vert Lutin se prépara un baluchon. Les deux amis s'installèrent sur un mille-pattes.

« Hue, mon brave ! Si tu te dépê-

ches, tu auras trois écus d'or !» promit Vert Lutin.

Le mille-pattes partit au galop. Tudieu ! sa fantastique chevauchée soulevait des tonnes de poussière.

Agrippés au licou, Vert Lutin et Bertil tressautaient sur leur monture.

«Cette princesse, je la délivre et je l'épouse ! marmonnait Vert Lutin. C'est que je suis en âge de me marier ! Touche ma barbe, Bertil ! Elle pique, hein ? Et puis, je sais balayer et faire la cuisine.»

Bertil se moquait bien de tout ça. Il était mort de peur. Gloup ! cette mouche pouvait l'avaler d'un seul coup. Il avait brusquement envie de rentrer chez lui pour revoir son papa, sa maman, son pépé, sa mémé et son copain Dédé qui lui devait des timbres.

Les mites marchaient de long en large en jouant de la trompette. Laide comme un pirate borgne, la mouche leur donna des ordres, sauta dans un carrosse doré et alla illico piller un riche navire marchand qui venait de faire escale dans le port voisin.

«Psst ! Bertil, tu as vu ? Il n'y a plus que les mites, murmura Vert Lutin.

— Oui, mais elles sont sept, armées jusqu'aux dents ! répliqua Bertil.

— Diantre ! j'ai pensé à tout !» affirma Vert Lutin.

Toc ! il leur jeta sept pelotes de laine qu'il sortit de son baluchon.

Hop ! ces goinfres les mangèrent comme de la barbe à papa. Le ventre plein, les mites ronflaient pêle-mêle.

Ils purent tranquillement se glisser dans le trou. La princesse était fice-

lée dans un recoin obscur.

«Laurette, nous sommes venus à ton secours !» chuchota Vert Lutin en la libérant de ses liens.

Ni vu ni connu, ils repartirent à la queue leu leu.

Le mille-pattes n'avait pas perdu son temps. Attaché à un arbre, il avait brouté toute l'herbe autour.

L'heureuse nouvelle se répandit comme une traînée de poudre dans le pays. Les Minigreenlandais allumèrent des feux de joie. Ils dansèrent sous les lampions en mangeant des hot-dogs. La limonade coula à flots, les drapeaux flottèrent au gré du vent, les magasins ouvrirent leurs rideaux, on repeignit le gazon en vert.

Dès son retour au palais, Vert Lutin

demanda la main de Laurette.

«Je te l'accorde volontiers et je te nomme chevalier ! déclara le roi. N'es-tu pas un grand explorateur, toi qui as voyagé dans un bocal de cornichons ? N'es-tu pas un valeureux guerrier, toi qui as délivré la princesse ? Marché conclu, n'en parlons plus ! Mariez-vous ! Soyez heureux ! Moi, je vais me laver, me peigner, me raser et m'habiller de neuf. Tu viens, ma femme ?»

La reine le suivit en traînant ses pantoufles.

Bertil remarqua que la princesse avait un vilain nez et des yeux de grenouille. Mais elle connaissait par cœur le nom des fleurs, elle cuisait

les truffes mieux que personne et savait coudre les ourlets.

A l'aube, Bertil Pijamo décida de rentrer. Vert Lutin lui donna un cachou.

Pour faire du chiqué, Bertil fit ses adieux en anglais.

«Farewell * !» dit-il comme au cinéma.

Assis sur un gros escargot de Bourgogne, Bertil se figura qu'il était perché sur l'éléphant du jardin d'acclimatation. L'escargot se déplaçant sur une planche à roulettes, le voyage fut court.

Tout heureux de revoir sa maison, Bertil avala le cachou magique. Il retrouva sa taille de petit garçon. Tout à l'heure, il irait réclamer ses timbres à Dédé. Non mais, qu'est-ce qu'il croyait, depuis le temps qu'il les lui devait !

* Adieu.

42

Le bal déguisé

Il était une fois un roi et une reine qui, pour distraire leurs sujets, décidèrent de donner un grand bal déguisé.

Les princes, les marquises, les comtesses et les ducs invités s'empressèrent d'aller commander un habit à leur couturier.

Le soir du bal, des pierrots, des danseuses, des magiciens, des fleurs, des fakirs aux turbans de toutes les couleurs défilèrent dans la grande salle du palais. Chaque nouvelle apparition déclenchait une pluie d'applaudissements.

Lorsqu'il ne manqua plus personne, le roi, déguisé en corsaire, ouvrit le bal avec la reine habillée en fée, et tout le monde se mit à danser. Cachées derrière leur masque, les princesses s'en donnaient à cœur joie. Elles sautaient, tournaient sous les lampions et faisaient voler leurs cotillons ! Les princes valsaient avec les sorcières et les lutins faisaient des cabrioles.

A minuit la fête battait son plein, quand soudain la porte de la grande salle s'ouvrit sur un drôle de bonhomme. Il portait une combinaison verte et traînait derrière lui un grand drap blanc accroché à des ficelles.

Après un profond salut à l'assistance, l'inconnu se dirigea droit vers le buffet. Là, il s'épongea le front avec une serviette en papier, roula son drap blanc et en fit un petit paquet qu'il rangea dans un sac. Les princesses se poussaient du coude en pouffant de rire. Les ducs se demandaient qui était ce mystérieux invité. Les marquises attendaient d'être présentées et le roi ne bougeait pas. Aussi, la comtesse Mayonnaise, poussée par la curiosité, se décida-t-elle à interpeller le bonhomme.

«En quoi êtes-vous déguisé ? En fantôme peut-être ? Ou bien, en cuisinier ? Allez ! Je donne ma langue au chat !

— Je ne suis pas déguisé ! répondit l'inconnu. Je suis un parachutiste !

— Ah ? fit la comtesse, étonnée. Qu'est-ce que c'est qu'un «parachutiste» ?

Le bonhomme éclata de rire.

«Un parachutiste, c'est quelqu'un qui descend du ciel avec un parachute, après avoir sauté d'un avion, expliqua-t-il.

— Un «navion» ! Décidément, vous vous moquez de moi ! s'écria dame Mayonnaise, prenant l'assistance à témoin. Je n'ai jamais entendu parler de cet oiseau-là !

— En tout cas le mien avait une aile cassée ! ajouta le parachutiste. J'ai été obligé de l'abandonner.

— Pauvre bête !» s'indigna la comtesse.

Le roi, qui jusque-là n'avait rien dit, s'approcha de l'inconnu, le prit par le bras et l'entraîna vers la porte.

«Étranger, murmura-t-il, si j'ai bien entendu, vous avez atterri ici par hasard. Mais je ne peux pas vous don-

ner l'hospitalité. Un cheval vous attend devant le palais. Rentrez chez vous, sinon, vous pourriez bouleverser le cours de l'histoire !»

Sur ces mots il s'éloigna et fit signe à l'orchestre de se remettre à jouer. Le parachutiste quitta l'assemblée en se demandant dans quel étrange

royaume il était tombé. Il partit à cheval mais n'alla pas bien loin. En effet, le jardin était carré et au-delà des quatre coins, il n'y avait plus rien ! Déconcerté, l'étranger mit pied à terre et s'assit au bord du précipice.

«Pssst !» entendit-il derrière lui. Il se retourna et aperçut la comtesse Mayonnaise.

«Je crois que c'est le moment de vous servir de votre «pâte à chutes» ! lui dit-elle.

Il sourit malgré lui.

«Ça y est, il se moque encore de moi ! murmura la comtesse ; mais je vais le remettre à sa place ! Savez-vous, lui dit-elle, que vous êtes à la première page d'un livre de contes dans lequel je tiens un rôle très important ! Si la petite fille à qui appartient ce livre vous trouvait là, elle vous gommerait !

«Bon, eh bien, je m'en vais !» répondit le parachutiste.

Mais au moment où il allait sauter dans le vide, un cri l'arrêta.

«Attendez ! Attendez !»

C'était le roi. Il arrivait en courant, suivi de la reine et de ses invités.

«Ne partez pas tout de suite ! ajouta-t-il tout essoufflé. Un guetteur a aperçu la petite fille sur son lit. Elle est en train de faire la sieste et ne se réveillera pas avant une heure. Aussi, je viens vous demander une faveur :

me permettez-vous d'essayer votre parachute ? Je pourrais sauter du haut du grand donjon !

— Si cela peut faire plaisir à Votre Majesté, dit le parachutiste en s'inclinant, j'y consens volontiers !»

Ravi, le roi mit le parachute sur son dos, et grimpa en haut du donjon. Les invités se rassemblèrent sur la pelouse.

En regardant en bas, le roi eut le vertige. Il ferma les yeux, puis, une, deux, trois ! sauta. Mais le parachute s'ouvrit trop tôt et resta accroché à un créneau du donjon. La foule poussa un cri de stupeur.

Le roi, suspendu dans le vide, gesticulait comme une marionnette. On sortit la grande échelle et l'on fit signe au monarque d'abandonner le parachute et de descendre tranquillement ; mais il gigotait tant qu'il renversa l'échelle d'un coup de pied. Soudain, on entendit un craquement.

La reine s'évanouit, les gardes se mirent à courir dans tous les sens, on fit reculer l'assistance. Les princes eurent la bonne idée d'aller chercher des matelas qu'on entassa sur la pelouse.

Il était temps ! Le roi tombait comme une pomme d'un pommier.

«Mon saut n'était pas très réussi, dit-il en se relevant ; qu'importe ! C'était très amusant !

— Je suis content pour Votre Majesté, répondit le parachutiste, mais mon parachute est tout déchiré !

Comment est-ce que je vais rentrer ?

— Oh ! là ! là ! c'est vrai ! dit le roi ; je n'y avais pas pensé. Gardes ! Appelez toutes les couturières du royaume !»

Les couturières arrivèrent en courant, avec leurs aiguilles, leurs ciseaux, leur fil blanc. Elles étaient si habiles qu'elles rapiécèrent le parachute en quelques instants. Comme elles avaient encore un peu de temps devant elles, elles embellirent leur ouvrage avec de la dentelle. Quand tout fut terminé, on accompagna le parachutiste, tambour battant, jusqu'au bout du jardin.

Le roi lui serra la main, la reine l'embrassa sur les deux joues et la comtesse Mayonnaise lui tendit négligemment son petit doigt. Il y posa ses lèvres, puis se retourna et sauta dans le vide sous les applaudissements. Quelques instants plus tard, un petit garçon le découvrit sur le plancher de la chambre où il avait atterri.

«Tiens, te voilà ! s'exclama-t-il en le ramassant. Je comprends pourquoi tu avais disparu ! Ma sœur t'a fait un

nouveau parachute ; nous allons pouvoir l'essayer, je dois sûrement avoir un avion dans mon coffre à jouets.»

Il courut dans sa chambre, abandonnant le parachutiste. Ce dernier leva les yeux et aperçut la comtesse Mayonnaise qui, agrippée aux rebords du livre, se penchait pour lui envoyer un baiser. Il en fut comblé d'aise. Les autres personnages, eux, s'étaient déjà sauvés car la petite fille s'était réveillée. Elle prit son livre ouvert à la première page, sur la table, et il lui sembla voir, de dos, la comtesse Mayonnaise courir à toutes jambes sur le papier glacé. Persuadée qu'elle était en train de rêver, la petite fille se frotta les yeux, regarda de nouveau.

Cette fois, la comtesse Mayonnaise, sage comme une image, se tenait près du roi et de la reine qui, pour distraire leurs sujets, donnaient un grand bal déguisé…

L'ogre et le dragon

Ventrebidouille, l'ogre au grand appétit, dévorait le pays. Une montagne par-là, une forêt par-ci... et personne d'assez courageux pour aller lui dire dans le blanc des yeux qu'il exagérait un peu.

Il fallait le voir croquer les forêts, avaler les chemins, vider les rivières. Il se fichait bien que les sauterelles, les oiseaux, les coccinelles, les poissons, les fraises des bois finissent dans son estomac.

«J'ai faim, j'ai faim !» répétait-il sans fin.

Les gens du pays se désolaient. Qu'allait-il rester ? Rien, pas même un endroit où poser les pieds. Ventrebidouille finirait bien par s'attaquer à eux, les paysans. Après tout, on dit bien que les ogres mangent les

petits enfants.

Une nuit, tandis qu'il dormait dans le lit d'une rivière qu'il avait bue tout entière, on se réunit pour prendre une décision. Il y eut trois propositions :

1. L'empoisonner.

Mais avec quoi ? Il avalait les serpents et leur venin et s'en portait très bien.

2. Le chasser du pays.

Comment ? Ils étaient bien moins forts que lui !

3. Organiser un combat avec l'«ogre du petit Poucet.»

Sans ses bottes de sept lieues, on n'était pas près de le voir arriver !

Dernière solution : réveiller le dragon.

Il habitait au cœur d'un volcan. Avec celui-là, on était tranquille, il dormait tout le temps ! Mais si par malheur on le réveillait, il devenait fou furieux et se mettait à cracher du feu. L'ogre ne le savait pas, et à côté du monstre, il ne faisait pas le poids.

Au petit jour, leur décision prise, les paysans s'en allèrent trouver l'ogre qui prenait son petit déjeuner. Oh, juste un sandwich pour commencer : deux collines sur un champ de blé.

«Bon appétit !» firent-ils pour le saluer.

Ventrebidouille ne répondit pas. Il se curait les dents avec un chêne qu'il venait d'arracher.

Un petit bonhomme prit la parole : «Sais-tu, dit-il, qu'il y a ici une chose à laquelle tu n'as jamais goûté ?

— Ça m'étonnerait, fit Ventrebidouille.

— C'est une montagne toute chaude, insista le petit homme. Tu vois au loin cette fumée ? C'est elle. Elle sera bientôt cuite à point.

— Hmm, j'ai faim», fit l'ogre en se levant.

Puis il partit en direction du volcan.

Pendant ce temps, les villageois

allèrent vite se réfugier au bord d'une rivière à laquelle il n'avait pas touché. Si le dragon se mettait en colère, ça risquait de chauffer.

L'ogre ne tarda pas à arriver. La montagne était bien là, ronde et appétissante. De la fumée s'en échappait comme si elle mijotait.

Ventrebidouille la regarda avec envie. Il allait faire le meilleur repas de sa vie. Il grimpa en haut du volcan et l'arracha d'un coup de dents : *clac* !

Le dragon qui dormait en boule au

milieu des braises, sans savoir pourquoi, se sentit mal à l'aise. Il s'éveilla, regarda tout autour de lui et s'aperçut qu'on lui avait ôté son lit. L'ogre finissait tranquillement de le manger.

«Ne vous gênez pas !» fit le dragon rouge de colère.

L'ogre continua d'avaler le cratère. Les braises ardentes lui brûlaient un peu la langue mais ce volcan le changeait de l'ordinaire.

Son repère saccagé, le dragon se dressa vers le ciel. Au loin, on vit des étincelles. Sous son courroux, les forêts s'embrasèrent.

«Qu'est-ce qui lui prend, à celui-là, de brûler mes repas ?» s'indigna l'ogre.

Un terrible combat s'engagea. A chaque flambée, Ventrebidouille attrapait un nuage, le crevait et toute la pluie qui en sortait éteignait l'incendie.

Bientôt, les paysans n'entendant plus un bruit, ne voyant plus de fumée, osèrent s'approcher.

Ils trouvèrent le dragon étendu sur le flanc, trempé, piteux et tremblant.

Quant à l'ogre, il se roulait par terre en se tenant le ventre.

«Aïe, Aïe, ça brûle», gémissait-il.

Forcément, avec les braises ardentes...

Les combattants étaient tous deux hors de combat. Les paysans, qui n'avaient pas envisagé ce résultat, dirent au dragon dégoulinant :

«Écoute, c'est nous qui avons envoyé l'ogre dévorer ton volcan. De toute façon, il y aurait goûté un jour ou l'autre. Mais pour nous faire pardonner, nous te ferons un lit douillet.»

Toutes les paysannes se mirent au travail. Elles allèrent chercher des centaines d'édredons qu'elles entassèrent au-dessus du dragon qui cessa de trembler. Cette bataille l'avait épuisé. Il s'endormit au chaud pour de nombreuses années.

Quant à l'ogre, on lui proposa un marché. S'il jurait de ne plus rien manger d'autre que les ronces, les orties, les fruits trop mûrs et l'herbe trop haute, on lui donnerait quelque chose à boire qui, à coup, sûr le remettrait d'aplomb.

Ventrebidouille souffrait tant qu'il accepta cette proposition. Les paysans lui apportèrent des pleins chaudrons de tisane qui calmèrent les brûlures.

Petit à petit, les forêts dévastées repoussèrent. Les prés, les chemins, les rivières égayèrent le pays.

Ventrebidouille s'était trouvé une nouvelle occupation : la sieste, l'après-midi sur la montagne d'édredons.

Histoire à dormir debout

Oh ! là ! là ! Huit heures et quart ! Simon se jeta hors de son lit, mit un pull et un pantalon sur son pyjama et sans même prendre le temps de se débarbouiller, fila à l'école. Essoufflé, cheveux en bataille, les yeux bouffis de sommeil, il traversa la cour de récréation déserte et poussa la porte de sa classe.

«Ah, vous voilà ! cria le maître, encore en retard ! Peut-être qu'un séjour au piquet vous fera passer l'envie d'arriver le dernier !»

Simon se tourna vers le mur, les mains derrière le dos, et se laissa bercer par le ronronnement de la pendule. Un léger bruit attira son attention. Soudain, devant lui, sur le mur blanc, une lézarde se dessina et s'ouvrit lentement. Trois petites créatures rondes comme des billes surgirent de derrière la fissure.

«Ce précipice me donne le vertige ! murmura l'un des personnages en se penchant au bord de l'ouverture. Bon, tant pis, il faut y aller !»

A peine eut-il fini sa phrase qu'il sauta sur la tête de Simon, éberlué. Puis, hop ! il se jeta dans le vide et retomba sur l'épaule du petit garçon. En se retenant d'une main au col de sa chemise, il se glissa ensuite dans son cou, attrapa une mèche de ses cheveux et s'y accrocha.

«Aïe ! fit Simon.

— Oh, pardon ! chuchota la petite chose, je vous avais pris pour un por-temanteau. Je me suis trompé, c'est certain. Quel dommage que vous n'en soyez pas un. Vous me mettez dans l'embarras !

— Je suis désolé de vous décevoir ! dit Simon, je ne suis qu'un petit gar-çon.

— Enchanté ! Je me présente ; je suis Toc et les deux peureux qui sont restés dans le mur sont mes frères Toc et Toc.

— Vous vous ressemblez comme trois gouttes d'eau ! s'exclama Simon, ça ne doit pas être facile de vous reconnaître.

— Oh, mais si ! rétorqua Toc, nous venons toujours l'un derrière l'autre : Toc, Toc et Toc. On nous distingue très bien quand nous frappons aux portes. L'embêtant, c'est qu'à force d'être dans les corridors, les couloirs et les entrées pleines de courants

d'air, nous avons fini par attraper froid. Avec la gorge prise et la voix enrouée, comment voulez-vous qu'on nous entende toquer ? Notre ami Pail-lasson, lui, a la chance d'avoir une fourrure qui lui tient chaud. Évidem-ment, dans sa profession, on ne peut jamais rester propre. Enfin, je bavarde, je bavarde ! Je vous fais peut-être perdre votre temps ?

— Pas du tout ! dit Simon, mais je serais curieux de savoir pourquoi vous vouliez rencontrer un porte-manteau ?

— C'est tout simple ! répondit Toc. Nous aurions pu l'escalader et

de crochet en crochet arriver tout là-haut, jusqu'à la pendule. Les Tic-Tac y ont leur repère. Peut-être connaissent-ils un moyen de nous guérir de ce maudit rhume. Ils ont appris tant de choses en parcourant le temps ! Oui, mais pour aller chez eux, comment faire ? C'est idiot, avec un portemanteau nous y serions déjà.

— Moi, je peux vous y conduire ! proposa Simon.

— C'est vrai ? demanda Toc, ravi.

— L'ascenseur est prêt à partir !» répondit le petit garçon en prenant les trois Toc dans sa main.

Il les souleva ensuite jusqu'à la pendule.

Onze heures sonnèrent : «Ding !»

«Dernier étage, tout le monde descend !» annonça Simon.

Toc, Toc et Toc frappèrent au carreau.

«Entrez, entrez ! dit la petite

aiguille. Alors, vous venez rendre visite à la famille Tic-Tac ?

— Vous savez, dit la grande aiguille avant qu'ils ne puissent répondre, elles courent toute la journée, leur temps est précieux. Que leur voulez-vous au juste ?

— Eh bien... euh... bafouilla Toc confus et intimidé, nous ne voulons pas déranger. Seulement, voilà... nous sommes très enrhumés et nous avions pensé que, peut-être...

— N'en dites pas plus ! l'interrompit la grande aiguille. Je sais ce qu'il

vous faut : soleil et repos ! Accrochez-vous à moi, nous partons dans le midi. Les Tic-Tac se feront un plaisir de nous y conduire. »

En effet, les Tic et les Tac se succédèrent soudain à une cadence infernale. Cinq minutes plus tard, la petite et la grande aiguille sur laquelle se tenaient les trois Toc, s'arrêtèrent sur le chiffre douze. Il était midi.

Il faisait si chaud en plein midi que les trois Toc enlevèrent leurs écharpes. La petite aiguille sortit ses lunettes, la grande aiguille ouvrit son parasol et bientôt tout le monde fit la sieste. Quand ils se réveillèrent, les trois Toc se sentirent en pleine forme. Malgré un petit coup de soleil dans le dos, ils étaient frais et dispos.

«Mes amis, proclama Toc d'une belle voix sonore, nous voici guéris ; il est temps de rentrer !»

Les Toc partirent sur la pointe des pieds pour ne pas réveiller les aiguilles. Le petit garçon, qui guettait leur retour, les ramena dans la lézarde.

«Jamais nous ne t'oublierons ! jura Toc. Si un jour tu as besoin d'aide, nous serons là.»

La fissure se referma.

«Eh bien, Simon, dit le maître, vous dormez, ma parole ! Ça fait cinq minutes que je vous appelle. Venez donc me réciter vos leçons.»

Alors qu'il s'apprêtait à aller au tableau, un grand bruit fit vibrer la porte : «TOC ! TOC ! TOC !»

«Qu'est-ce que c'est ? demanda le maître.

— TOC ! TOC ! TOC !

— Entrez !» cria le maître, excédé.

Il se dirigea vers la porte, l'ouvrit. Personne.

«Si c'est une farce... !» hurla-t-il, mais il n'eut pas le temps de finir sa phrase. Un Tic-Tac retentissant lui coupa la parole, suivi de la sonnerie qui annonçait la fin des cours. Simon s'en alla tranquillement ; il l'avait échappé belle !

Grand-Mère Zénaïde

Grand-mère Zénaïde était une vieille souris des champs. Elle habitait dans la sacoche de vélo d'un berger. Chaque jour, il la saluait d'un : «coucou, grand-mère, comment ça va ?» avant de l'emmener en promenade. Agrippée au bord de la sacoche, grand-mère Zénaïde regardait le paysage.

Un jour, le facteur lui apporta une lettre de Guillaume Ratounez, son petit-fils : «Joyeux anniversaire, grand-mère, je vais venir te voir !» lui écrivait-il. Il arriva peu après en trot-tinette. Il lui offrit un fromage, du parfum, un vase et une rose.

Grand-mère Zénaïde fut très contente :

«Tu es gentil, mon petit, et si joli dans ton costume des villes. Dis-moi, tu veux faire un tour à bicyclette ?»

Guillaume sautilla :

«Chic alors, grand-mère !»

Hop, il grimpa dans la sacoche. Zig ! Zig ! Le berger pédala sur un chemin de montagne. Guillaume vit les neiges éternelles. Enchanté, il fit quelques pas, cueillit une fleur d'arnica et mangea des fraises juteuses. Tout à coup, il aperçut une

vache. Elle paissait tranquillement dans un pré.

Guillaume s'accrocha à sa queue. «Hue, avance !»

La vache courut tout autour du pré. A plat ventre, bien crotté, Guillaume la supplia de s'arrêter. Grand-mère Zénaïde éclata de rire. Elle le lava à l'eau d'une source et fit sécher ses habits au soleil.

Au retour, Guillaume s'assit sur le guidon, près de la main du berger. Le nez au vent, il renifla l'odeur des champs.

Il repartit le soir même sur sa trottinette. «Ran ! Ran ! Ran !» cria-t-il en tirant la langue. Il prit son élan et fonça à toute allure.

«A bientôt, grand-mère !» dit-il en s'éloignant.

Le hérisson
moniteur d'auto-école

Lulu, le hérisson, est le meilleur moniteur d'auto-école de la forêt. Les animaux apprennent à conduire dans sa voiture en forme de machine à laver.

«Moins vite, dit Lulu à un lièvre.
— Ma tête ! Elle est trempée…»
Chaque fois qu'un élève commet une faute, il a la tête arrosée. Un système mis au point par Lulu.

En fait, le hérisson n'a que des ennuis avec ses clients. Un jour, un lion a dévoré les sièges. Une autre fois, il a mangé le cerf peint sur un panneau indicateur. Et, bien sûr, il s'est cassé toutes les dents.

Le moineau lâche le volant pour battre des ailes. Hop ! au fossé !

«Petit imprudent !» dit Lulu.

Taf, le sanglier, sommeille au volant. Un vrai danger public. Il a raté cent fois son permis de conduire. Il coupe toujours à travers champs. Mais comme c'est son meilleur client, Lulu ne s'en plaint pas.

Tous les soirs, chez lui, le hérisson apprend le code de la route aux animaux.

«On s'arrête au feu rouge, on passe au vert... Avant de traverser la route, on regarde bien à gauche et à droite... Répétez.»

Et les animaux répètent. Mais ensuite, plus moyen de faire taire Dodo, le perroquet, qui répète jusqu'à la fin du cours : «On s'arrête au feu rouge... On s'arrête au feu rouge...» Ah ! oui, vraiment, quel drôle de métier !

Scarabeto Rambouline

Scarabeto Rambouline, le petit scarabée, s'éloigna en sautillant du village où il était né :

«Vous êtes trop méchants. Je m'en vais !»

Il venait de composer un air au violon, et ses parents, ses amis, ses voisins s'étaient moqués de lui.

«C'est pas de toi. C'est pas beau. Et puis, tu fais du bruit.»

Assis sous les étoiles, Scarabeto Rambouline joua du violon. Zz ! Zz ! Un tout petit lérot se faufila entre les herbes.

«Elle est jolie, cette musique. C'est toi qui l'as inventée ?»

Scarabeto Rambouline lui sourit :

«Oui ! Et ça aussi, écoute !»

Il joua un air guilleret et le lérot se mit à danser.

«Mais alors, tu es un artiste ! dit-il.

— Euh ! Je ne sais pas ! répondit Scarabeto Rambouline. Mon père voulait que je sois garagiste comme lui. Moi, j'aime les autos, mais j'aime mieux jouer du violon.»

Scarabeto Rambouline dormit au chaud chez le lérot. Le lendemain, il s'en alla.

«Petit lérot, tu m'as donné du courage. Je vais à Milan voir le directeur de la Scala.»

Il marcha, il fit de l'oiseau-stop et termina enfin son voyage assis sur un gros écureuil.

Le directeur était pressé. Il devait manger des spaghettis avec son baryton.

«Je n'ai pas le temps ! s'écria-t-il en regardant sa montre. Si je devais écouter tous les saltimbanques qui frappent à ma porte, adieu, Berthe ! Je ne pourrais rien faire d'autre !»

Scarabeto Rambouline le suivit jusque dans l'escalier. Il sortit le violon de son étui et il joua sa mélodie. Le directeur s'assit par terre :

«QUELLE MERVEILLE ! s'exclamat-il. Je vous engage sur-le-champ ! Venez avec moi. Vous signerez votre contrat au restaurant.»

Scarabeto Rambouline devint un grand compositeur. Il n'oublia pas le lérot qui avait cru en lui. Un jour, il envoya une grosse libellule bardée de cocardes et de drapeaux le chercher tout exprès, et il en fit son secrétaire particulier.

Tom Lièvre et le Zozio

Boum ! Badaboum ! Sursauti, sursauta, un grand bruit tira Tom Lièvre du lit.

«N'ayez pas peur, c'est le facteur !» dit une voix joviale.

Pour la première fois de sa vie, Tom Lièvre recevait un colis. Il venait de l'oncle Léopold, installé depuis quelques mois à Saltlaqueciti où il cherchait de l'or.

Tom Lièvre défit le paquet. Il découvrit un blouson clouté, des bottes de cow-boy et une petite graine.

«Plante la graine sur du coton. Tu verras, il te sortira un drôle de Zozio !» précisait un mot de l'oncle Léopold.

Youp là là ! Tom Lièvre la planta. Puis il mit ses bottes, son blouson, il se fit une banane tant bien que mal car il avait le poil rare et il alla se montrer à ses amis. Quel succès ! Charlotte Marmotte siffla d'admira-

tion. Riton Hérisson passa son blouson. Gérard Renard essaya ses bottes.

Tom Lièvre rentra chez lui. Ça alors, la graine avait déjà poussé ! Et savez-vous ce qu'elle avait donné ? Un étrange oiseau en bois qui bougeait comme vous et moi !

Il se présenta :

«Hello ! Je suis Zozio Fépacifépaça !»

Brusquement, il se mit à voleter de-ci, de-là, en faisant un bruit de crécelle énervant comme tout. Il donna des ordres à Tom Lièvre :

«Il y a beaucoup trop de laisser-aller ici. Enlève tes bottes. Mets tes pantoufles. Range ton blouson. Tu ressembles à un voyou. Coiffe-toi mieux que ça. Oh ! Oh ! Mais c'est que tu as du ventre ! A partir d'aujourd'hui, plus de sucreries. Tu mangeras des légumes bouillis.»

Allez savoir pourquoi, Tom Lièvre lui obéit !

Le Zozio, quant à lui, prit des glaces dans le congélateur, des cacahuètes dans le placard et en avant ! Il s'installa devant la télé. Vautré sur le canapé, il regarda un match de foot. Il fit tellement de bruit que Tom Lièvre ne put fermer l'œil de la nuit.

Le lendemain matin, le Zozio mangea ce qu'il y avait de meilleur dans le réfrigérateur.

A bout de nerfs, Tom Lièvre prit tous les sous de sa tirelire. Il appela Saltlaqueciti d'une cabine téléphonique :

«Allô, tonton ? Ici, c'est Tom. Tonton, pour les bottes et le blouson, merci, je suis content. Mais la graine, enfin le Zozio, me rend fou. Il me donne des ordres. Il ne fait rien, me mange tout. Tonton, je ne suis plus chez moi. Je veux qu'il s'en aille !»

A des milliers de kilomètres de là, l'oncle Léopold éclata de rire :

«Ah ! Ah ! Ah ! J'ai voulu te faire une blague ! Tu n'as donc pas remarqué que j'avais expédié mon colis le premier avril ? Écoute, mon garçon, tu vas lui dire : «Am stram gram ! Fépacifépaça, qu'est-ce que tu crois, tu n'es qu'un bout de bois !» et tu verras ce qu'il arrivera !

Tom Lièvre rentra en vitesse. Le Zozio venait de manger le saucisson qui pendait au plafond et il avait vidé le pot de cornichons !

«C'est un scandale ! Il n'y a plus de beurre. Va faire les commissions ! ordonna le Zozio. Hé ! Ne me regarde pas de travers, s'il te plaît. Prête-moi tes bottes ! Et ton blouson ! Et ta brosse à dents ! Et ton dentifrice ! Et puis va-t-en ! Je veux habiter ici. Tiens, à partir d'aujourd'hui, ce sera ma maison !»

A ce moment-là, la colère de Tom Lièvre explosa :

«Am stram gram ! Fépacifépaça, qu'est-ce que tu crois, tu n'es qu'un bout de bois !»

Aussitôt pfft ! le Zozio disparut. Il ne resta à la place qu'une allumette, une vraie, avec laquelle Tom Lièvre alluma le gaz pour chauffer son café au lait.

Ouf, quel débarras ! Tom Lièvre était si content qu'il alla raconter sa drôle d'histoire à ses amis.

Le balai de Gribouille

Un beau matin, Gribouille, sorcière de son état, quitta ses sœurs de la forêt pour venir s'installer en ville.

Plutôt que d'empoisonner des pommes ou de jeter des sorts, elle voulait travailler.

Avec son balai pour tout bagage, elle alla s'installer au rez-de-chaussée d'un grand chêne, dans un jardin public.

Engagée dans une école comme femme de ménage, elle entra dans une salle de classe une fois les cours terminés, et, pleine d'ardeur, empoigna son balai. Mais celui-ci refusa tout net de bouger.

Quant à la formule magique : *Balai, balayette, danse et chasse les miettes* elle n'eut sur lui aucun effet.

Raide comme un piquet, il regardait ailleurs. Il refusa même de raccompagner Gribouille jusqu'au jardin public, et elle dut prendre l'autobus, comme tout le monde.

A l'abri, dans son arbre, elle se mit à pleurer :

«Bouh, bouh...»

Son voisin du dessus, un vieux hibou, s'inquiéta :

«Hou, hou, voisine, dit-il, ça ne va pas ?

— C'est ce maudit balai qui ne veut pas balayer ! expliqua-t-elle entre deux sanglots.

— Il a raison, fit le hibou, voyons, c'est tout de même le véhicule d'une sorcière ! C'est la tâche des balais ordinaires de chasser la poussière !»

Sur les conseils de son voisin, Gribouille changea donc de métier.

Le facteur était malade : elle le remplacerait. On lui donna un vélo pour faire le tour du quartier, et une sacoche remplie de lettres à distribuer. Mais à peine avait-elle commencé sa tournée, qu'elle vit un objet traverser le ciel puis s'abattre sur elle. C'était son balai. Il semblait déchaîné. Il renversa le vélo. Gribouille tomba sur le trottoir et les lettres s'échappèrent de la sacoche ouverte.

«Et hop du balai !» cria le balai en les envoyant dans le caniveau.

Puis il se tourna vers le vélo et bing ! un coup dans le guidon et bang ! un coup dans les pneus et paf ! prends ça dans tes rayons.

La carrière de Gribouille dans le service des postes s'arrêta là.

Le soir, réfugiée au fond de son arbre, elle pleura amèrement :

«Bouh, bouh...

— Hou, hou, fit le hibou, qu'est-ce qui se passe ?»

Gribouille lui raconta tout.

«A sa place, j'en aurais fait autant ! dit le hibou. N'oublie pas que c'est un balai de transport. Te voir sur ce truc à deux roues l'a rendu terriblement jaloux !»

Encore une fois, pour ne pas contrarier son balai, Gribouille changea de métier.

Elle devint peintre en bâtiment. Grimpée sur une échelle, elle peignait les façades des maisons en bleu nuit, bleu ciel, jaune citron, vert tige ou vert luisant. Elle avait un pinceau pour chaque couleur.

Un jour, alors qu'elle était en train de blanchir une palissade, elle vit arriver droit sur elle un objet non identifié. C'était ? ...son balai ! Il plongea dans les pots de peinture et barbouilla

les murs. De carrière de pinceau, on n'avait jamais vu ça !

Gribouille rentra dans son trou où l'attendait le vieux hibou.

«Un balai, un pinceau, où est la différence ? fit celui-ci quand elle lui eut tout dit. L'un est grand, l'autre petit. Te voyant debout sur cette échelle avec tous ces pinceaux, ton balai a cru que tu allais t'envoler. Avec eux, pas avec lui.

— Bon, dit Gribouille en soupirant, j'aurai beau faire, à cause de ce maudit balai, je resterai sorcière.»

Elle renonça donc à travailler, jusqu'au jour où un cirque s'installa dans le jardin public. En passant devant une roulotte, Gribouille vit une affiche : «ON DEMANDE TRAPÈZISTE A L'ESSAI.» Elle se présenta.

Le soir, dès que son balai se fut endormi, elle s'éclipsa.

Elle se retrouva bientôt en haut du chapiteau, seule sous les projecteurs, tremblant et claquant des dents.

Roulements de tambour. Gribouille se jeta dans le vide pour attraper un trapèze au vol et...oh ! le rata et tomba dans le vide.

Les spectateurs se mirent à crier. Mais quelque chose fonça droit sur elle à la vitesse d'une fusée. C'était son balai.

«Ouf !» fit le public, pour s'écrier aussitôt après : «Bravo, hourra !»

Très satisfait, le directeur du cirque engagea sur-le-champ Gribouille et son balai.

Ils mirent au point un numéro. Ensemble, ils volaient si haut qu'ils crevaient la toile du chapiteau, cueillaient des étoiles dans la nuit et revenaient les lancer sur les spectateurs éblouis. Ce fut la gloire. Ils firent le tour du monde. Leur renommée était si grande qu'on se pressait pour les voir.

C'est le hibou du jardin public qui m'a raconté cette histoire, et comme je n'avais pas l'air d'y croire, il m'a montré les cartes postales qu'ils lui envoyaient. Elles venaient des quatre coins de la terre et toutes étaient signées : *La sorcière et son balai.*

Le hoquet
de monsieur Didon

Voilà déjà deux mois, trois jours, une heure et dix secondes que monsieur Didon a le hoquet. Il a eu beau se boucher le nez, faire la roue, le poirier, rien n'a pu en venir à bout et monsieur Didon saute comme un kangourou.

Un beau jour, notre homme lut dans un livre que le meilleur remède contre le hoquet, c'était la peur. Aussi, par une nuit de pleine lune, quitta-t-il sa maison pour chercher quelqu'un, fantôme ou assassin, qui lui donnerait le frisson. Il marcha à travers bois et, à sa grande déception, ne fit aucune mauvaise rencontre. Mais au détour d'un sentier, il découvrit un château en ruine que l'on disait hanté. La sinistre demeure lui donna la chair de poule. Impatient de

connaître une grande frayeur, monsieur Didon entra dans une pièce tapissée de toiles d'araignées. Des craquements saluèrent son arrivée. La peur mordit son estomac mais, hélas ! pas son hoquet. Les « hic ! hic ! hic !» qui soulevaient sa poitrine résonnèrent dans le château en ruine.

Monsieur Didon pénétra dans une salle sans plafond que la lune éclairait comme un gros lustre rond. Soudain, un homme au teint blafard et au visage crispé surgit juste devant lui. Monsieur Didon se mit à hurler. L'inconnu s'empressa de l'imiter et fit une horrible grimace. C'était son reflet dans une glace. Monsieur Didon n'eut pas le temps de s'en apercevoir. Terrifié par son image, il s'évanouit. Mais son hoquet ne s'y

trompa pas. Il harcela monsieur Didon qui revint à lui. Après un examen rapide de toute sa personne, il put constater qu'il était encore entier et en profita pour prendre ses jambes à son cou.

Au petit matin, il arriva dans une fête foraine. Des cris aigus et perçants attirèrent son attention. Non loin de là, les avions d'un manège faisaient des vrilles, se renversaient, piquaient droit sur la terre et, au dernier moment, se redressaient. Impressionné par les hurlements que poussaient les passagers de ces engins infernaux, Monsieur Didon acheta un ticket pour le prochain tour. On allait voir si un hoquet, si tenace soit-il, allait résister à ce mauvais traitement !

Le départ se fit en douceur mais très vite l'avion prit de l'altitude et se renversa. Monsieur Didon, solidement attaché à son siège par une courroie, se retrouva la tête en bas. Il poussa un cri de peur, qui fut inter-rompu par un hoquet si violent que l'aéroplane se détacha du circuit dans un bruit de tôle froissée et fila à travers le ciel sous le regard ébahi des badauds.

Le forain qui actionnait le manège eut beau trépigner, s'arracher les cheveux, lancer des jurons, l'avion, emporté par son élan, disparut à l'horizon. A la vitesse où il allait, il creva les nuages, ravi de faire un si

long voyage, lui qui d'habitude se livrait toujours aux mêmes acrobaties. Le vent le poussa pendant quelques kilomètres et monsieur Didon, à l'envers, vit défiler les costumes de la terre. Mais son maudit hoquet mit fin à la croisière : il fit bondir le pilote si fort que la carlingue, sous le choc, se mit à la verticale et plongea dans le paysage. Par bonheur, le hasard avait placé une meule de foin à l'endroit précis où il tomba. L'avion s'y enfonça comme un couteau dans une motte de beurre. Monsieur Didon, légèrement étourdi, émergea de dessous la paille et quitta en titubant le champ d'atterrissage. Après une telle frayeur, il se croyait guéri, mais au moment où il traversait une rivière, son hoquet le renversa dans l'eau. Résigné, le pauvre homme rentra chez lui, à pied et par petits bonds.

Là, il trouva une minuscule souris installée sur son paillasson. Savez-vous ce qui arriva alors ?

Foudroyé par cette vision d'horreur, son hoquet s'évanouit et resta bel et bien mort... de peur ! Le malade était guéri. Un tout petit remède à moustache avait suffi.

Soulagé et heureux, monsieur Didon éclata d'un rire moqueur et, grâce à sa nouvelle amie, ne fut plus jamais importuné par ce hoquet farceur.

L'ascenseur dans les nuages

Monsieur Flac collectionne les vieux ascenseurs. Il les rachète à bas prix. Il en a un plein hangar, dans sa propriété de la région parisienne.

Tous les jours, il les astique, les passe à l'encaustique, les fait briller comme des objets précieux.

«J'en ai assez ! chuchote un ascenseur à son voisin. J'en ai marre d'être ainsi frotté.

— Monsieur Flac est trop maniaque !

— Et puis, quelle monotonie ! dit un troisième. C'est triste pour un ascenseur de finir ses jours sous un hangar.

— Après avoir parcouru des milliers de kilomètres, de haut en bas, et de bas en haut, je m'ennuie à ne rien faire», dit un quatrième.

Des dizaines d'ascenseurs chuchotent alors ensemble. Il ne faut surtout pas réveiller monsieur Flac qui, à cette heure-ci, dort dans sa grande chambre en forme d'ascenseur.

«On devrait s'organiser, dit un ascenseur.

— Voir du pays ! ajoute un second.

— Pas tous ensemble, pour ne pas éveiller les soupçons de monsieur Flac», fait un troisième.

Un bruit sec. Comme du bois qui craque. Crac ! Un vieil ascenseur décolle. Il s'échappe du hangar, hésite, cherche son chemin dans la nuit. Heureusement, il y a les étoiles, comme des lumières, pour le guider.

«Il a osé ! disent en chœur les

ascenseurs. Il est parti. Il a pris la poudre d'escampette. Et nous ?»

Ils attendent. Ah ! si monsieur Flac se réveillait ! Quel drame ! Mais non, tout va bien.

Un quart d'heure plus tard, le vieil ascenseur revient, essoufflé. Il rit.

«Alors, cette escapade ? demandent les autres.

— Très bien. Rien ne vaut la liberté. Un ascenseur qui vole, c'est extraordinaire. J'ai même frôlé un nuage. Mes portes sont mouillées.

— Nous aussi, on voudrait bouger ! disent les autres ascenseurs. Et si on faisait une course ?»

Volontiers. Ils s'en vont tous ensemble. Ils volent, s'envolent, survolent la ville. Ils tournent autour des hauts immeubles, un ascenseur se pose, repart. C'est la fête.

«Nous sommes des ascenseurs magiques !

— C'est épuisant, cette promenade ! dit un très vieil ascenseur. J'atterris un instant.»

En plein devant la porte d'un immeuble. Une dame à chapeau vert sort de son taxi.

«Je suis en retard, dit-elle. Il fait nuit depuis longtemps. Je suis si fatiguée. Heureusement, il y a l'ascenseur.»

Quelle idée ! La brave dame entre dans l'ascenseur garé sur le trottoir. Il faut dire qu'elle est un peu myope. Elle appuie sur le bouton du sixième étage.

Que se passe-t-il ? En quelques secondes, il a déjà dépassé le sommet de l'immeuble. Il se met à l'envers.

«Aïe ! Ouille ! dit la dame. J'ai la

tête en bas. Et mon chapeau qui s'en va. Comme une soucoupe volante.»

Le vieil ascenseur file, fait du slalom entre les nuages, évite un avion, fonce en direction de l'océan.

«Au secours ! hurle la dame. Il m'enlève. C'est un détournement d'ascenseur. A moi, la concierge !

— Excusez-moi, madame ! Je vais vous redéposer.

— Un ascenseur qui parle ! On aura tout vu», dit la dame.

Le très vieil ascenseur a rejoint ses amis. Encore quelques kilomètres, et ils reviennent au hangar. Le matin, monsieur Flac vient astiquer sa collection d'ascenseurs.

«Quel mauvais rêve ! marmonne-t-il. Cette nuit, j'ai rêvé que mes ascenseurs s'envolaient. Heureusement, ce n'était qu'un rêve ! Oh ! là ! là ! qu'ils sont sales, humides, couverts de boue et de poussière ! A croire qu'ils ont voyagé toute la nuit !»

«Pauvre monsieur Flac ! S'il savait ! Il en perdrait la raison. Mieux vaut se taire !» pensent les ascenseurs, en attendant la nuit prochaine.

Le taxi des animaux

Il était une fois une oie qui devint chauffeur de taxi. Un taxi réservé aux animaux. Et ce fut le succès immédiat.

Mireille, c'était son prénom, était une as du volant. Elle avait construit elle-même sa voiture. Une grande caisse de bois avec quatre roues de bicyclette. Un toit de branchages, des sièges rembourrés avec de la mousse des bois. Une vieille cocotte-minute servait de moteur.

«Plus vite ! dit le hérisson. J'ai rendez-vous à quatorze heures.

— Le compteur marque déjà 30 ! fait l'oie. Si je rate un virage, vous serez bien avancé. Tiens, voilà un renard.»

Mireille s'arrête.

«Monte, renard ! Non, pas là...»

Trop tard. Renard s'est assis en plein sur le hérisson. Aïe ! ça pique.

«Mes fesses ! se lamente-t-il. Elles ressemblent à celles d'un hérisson. Vite, chez le médecin.

— Pas question ! dit le hérisson. Je

suis pressé. Laisse-moi faire. Et puis, je tiens à récupérer mes piquants.»

Le renard se laisse faire comme un bébé, et pour rattraper le temps perdu, Mireille fait du 50 ! Et pourtant, en chemin, elle prend à son bord une pie, un lièvre, une poule d'eau, un héron, un écureuil, un ver de terre, une couleuvre et un mouton.

«A ce rythme-là, je vais rater mon rendez-vous, dit le hérisson. Plus vite.»

Mireille allume la radio. Un loup chante le succès de l'été, *Le rock du Chaperon Rouge*. Les animaux reprennent le refrain en chœur.

«Mireille, pourquoi ralentissez-vous ? demande soudain le hérisson. Plus vite, que diable !

— C'est sûrement une panne, dit l'oie. Une panne sèche. Le moteur ne marche qu'à l'eau de pluie. Et comme il n'a pas plu depuis huit jours, il va falloir attendre.

— C'est une honte ! clame le hérisson. Me voilà obligé de continuer à pied !

— Une minute ! dit Mireille. Le moteur fonctionne aussi aux larmes. Si vous vous mettez à pleurer dans le réservoir, je vous ferai une réduction sur la course.»

Les animaux acceptent de bon cœur. Et pour les faire pleurer,

Mireille leur raconte des histoires tristes. Le réservoir se remplit de larmes et le taxi repart en vrombissant.

— Plus vite, plus vite ! répète le hérisson.

— Arrêtez-moi là, près du grand peuplier ! dit soudain le mouton. Mireille, je vous paierai demain.»

Le hérisson ne tient pas en place. Il maudit tous ces animaux qui le retardent.

«Mireille, pouvez-vous faire un petit détour pour me déposer devant chez moi ? demande alors le ver de terre.

— Non, non et non ! proteste le hérisson. Après tout, c'est moi qui suis monté le premier dans le taxi.»

Le renard rit de bon cœur. La pie chante et la poule d'eau pond un œuf. Maladroit, un écureuil marche dessus.

«Il a cassé mon œuf ! proteste la poule d'eau. Mon œuf neuf !»

Ils se bagarrent. Au volant, Mireille reçoit une noisette dans l'œil et un coup de bec dans le derrière. Le taxi zigzague, mord le bas-côté et se retrouve les quatre roues en l'air.

«Un accident ! Il ne manquait plus que ça !» se plaint le hérisson.

Le renard a été propulsé dans un arbre. Le héron est planté sur le bec, dans un talus. Le ver de terre forme un nœud avec la couleuvre. Les autres sont indemnes.

«Vite, remettons le taxi sur ses roues ! dit le hérisson. Je vais être en retard à mon rendez-vous.»

Chacun y met du sien. Le toit est un peu cabossé. De quelques coups de bec, le héron le répare. Mireille est très en colère.

«Vous, la poule d'eau et l'écureuil, allez vous chamailler ailleurs ! Mon taxi n'est pas un ring. Disparaissez de ma vue.»

Le taxi est reparti. Il a tout juste parcouru une dizaine de kilomètres, qu'il zigzague de nouveau.

«Une crevaison ! dit l'oie. Il va falloir réparer.

— Maudit taxi ! s'exclame le héris-son. J'aurais mieux fait de prendre un hélicoptère.»

Mais le hérisson se calme quand il se rend compte que c'est l'un de ses piquants qui a crevé la roue.

«J'ai dû en perdre quelques-uns lors de l'accident !» murmure-t-il.

Une fois la roue réparée, Mireille appuie à fond sur l'accélérateur.

«Je te paie le double de la course si tu arrives à l'heure à mon rendez-vous», dit le hérisson.

L'auto va si vite qu'elle tremble comme une vieille machine à laver. Un essuie-glace se détache. Le klaxon se bloque. Une portière s'envole.

«Mireille, continue ! Je te rembour-

serai les dégâts», dit le hérisson.

Pauvre hérisson ! Aujourd'hui, il joue vraiment de malchance. Un kilomètre plus loin, le taxi ralentit de nouveau. Il avance moins vite qu'une limace.

«J'ai dû casser mon moteur», dit Mireille.

Sous le capot, elle découvre une colonie d'escargots qui voulaient sûrement s'offrir une course à bon compte.

«Des escargots dans le moteur ! Pas étonnant qu'on n'avance pas plus vite qu'un hérisson !» fait Mireille.

Et voilà qu'on se moque de lui ! Il n'y a plus de politesse ! pense-t-il.

«Sommes-nous encore loin ? demande Mireille, un peu plus tard.

— C'est à deux kilomètres, là-bas, derrière le rideau d'arbres, dit le hérisson. J'ai rendez-vous avec le faisan moniteur d'auto-école.»

Et quand le taxi arrive, le faisan interpelle le hérisson en faisant l'étonné :

«Mais enfin, hérisson, c'est demain le jour de la leçon de conduite ! Nous n'avons pas rendez-vous aujourd'hui.

— Demi-tour ! dit le hérisson, penaud. Cette fois, nous avons tout notre temps.»

La sauterelle

Il était une fois une sauterelle qui était championne du monde de saut en hauteur ; elle sautait par-dessus les fourmis, par-dessus les feuilles et même par-dessus les fleurs ! Mais, un jour, elle sauta si haut qu'elle atterrit sur un sapin, fut prise de vertige et n'osa plus bouger.

L'hiver vint ; un bûcheron coupa le sapin pour en faire un arbre de Noël ; ses enfants l'habillèrent d'étoiles et de guirlandes, et découvrirent la sauterelle recouverte de cheveux d'ange ; ils la délivrèrent et prirent soin d'elle jusqu'au printemps où ils la relâchèrent dans les champs ; elle sauta joyeusement mais, désormais, modéra ses élans.

Le caillou de P'tit Loup

Deux louveteaux, P'tit Loup et Guillou, se promenaient un jour dans le bois en chantant à tue-tête :

«Hou ! Hou ! Hou ! Tout le monde a peur de nous, tralalon et tralalou !»

Ils sautillaient, batifolaient, cueillaient des fleurs et faisaient des cabrioles.

«Guillou, regarde ce caillou ! s'écria soudain P'tit Loup.

— Où ça ? demanda Guillou.

— Au milieu du chemin. Il est à moi. Je l'ai vu le premier.

— Ma foi, c'est un beau caillou. On pourra jouer à la marelle, dit Guillou.

— Ou faire des ronds dans l'eau !» suggéra P'tit Loup.

Le caillou se mit alors à bouger. Quatre pattes fripées et une petite tête toute ridée apparurent.

«Petits sots ! Je m'appelle Turlututu et je suis une tortue. Allez, zou, laissez-moi dormir !» dit la drôle de bête.

P'tit Loup s'étonna :

«Ça alors ! Une tortue ! Tu en avais déjà vu, Guillou ?

— Évidemment, gros bêta !» se vanta Guillou.

P'tit Loup réfléchit un instant.

«Menteur ! finit-il par dire. Toi aussi tu as cru que c'était un caillou. Sinon, tu me l'aurais annoncé tout de suite. Je te connais, va !»

Pendant qu'ils se disputaient, Turlututu s'enfuit. P'tit Loup s'en aperçut :

«Au secours ! Ma tortue s'en va !» hurla-t-il.

Les deux louveteaux la rattrapèrent très vite.

«Tiens, rien que pour ça, on va jouer avec toi comme avec un caillou !»

La tortue était bien embêtée. Il lui vint une idée :

«Écoutez ! Je vais plutôt vous emmener manger des fraises !»

Les deux louveteaux se mirent à danser :

«Miam-miam, des fraises !»

La tortue les conduisit dans le jardin de son voisin le chien. Pendant que P'tit Loup et Guillou avalaient goulûment des fraises mûres à point, Turlututu alla prévenir le chien.

«Sapristi, des loups dans mon jardin !» s'écria-t-il.

Hop ! Il prit sa carabine, il la remplit de gros sel et pan ! pan ! pan ! il visa le derrière des louveteaux. Ouille ! ouille ! ouille ! ça piquait !

Ils restèrent une journée entière assis dans la rivière à attendre que le sel fonde.

«Turlututu est trop méchante. Je vais dire à mon papa de la manger, voilà ! dit P'tit Loup.

— Après tout, c'est bien fait pour nous. On embête toujours tout le monde. Tout ça parce qu'on est des loups et que les autres ont peur de nous, déclara Guillou.

— Oui, mais ce gros chien n'a pas eu peur, lui, ajouta P'tit Loup. Dis, Guillou, si on jouait tranquillement à la balle ?

— Volontiers, P'tit Loup. C'est moins risqué que les tortues», lui répondit Guillou.

Ils gambadèrent jusqu'à la maison de P'tit Loup ; ils y prirent sa jolie balle rouge et ils s'amusèrent jusqu'au soir.

Richard Rat

Richard Rat aimait tellement sucer son pouce qu'il avait les dents de travers. A l'école, on se moquait de lui :

«Rat, râtelier, tu es laid, tra déri déra !»

Un mercredi, madame Rat passa sa robe de pilou et se coiffa d'un canotier :

«Mon petit rat à moi, fit-elle, mets ton costume neuf. Nous allons chez le dentiste.»

Il y avait beaucoup de monde dans la salle d'attente. Nom d'un sifflet ! un petit lapin, deux souris et une marmotte avaient les mêmes dents que lui. Tout content, il leur sourit.

Le dentiste lui examina la bouche :

«Tu vas porter un appareil pour redresser les dents», déclara-t-il.

Le temps passa. Un beau matin, Richard Rat se regarda dans une glace. Nom d'un sifflet ! ses dents étaient enfin devenues droites.

Fou de joie, il eut envie de faire plein de choses. Il s'inscrivit à un club sportif et pratiqua le karaté, l'escrime et la boxe. Et quand on eut la mauvaise idée de fredonner une fois de plus «Rat, râtelier, tu es laid, tra déri déra !», hop ! il serra le poing et il se mit à sautiller comme sur un ring.

«Essayez un peu de m'embêter, pour voir !» prévint-il en montrant ses dents.

Oh ! elles étaient régulières, droites et jolies comme tout. On le laissa tranquille. Mieux, on le bichonna : «Tu veux un bonbon ? Tu joues aux billes avec moi ? Tu viens goûter à la maison ?»

Les yeux mi-clos, Richard Rat savourait son succès. Quand ça lui plaisait, il acceptait. Quand ça lui déplaisait, il refusait.

Juste avant les vacances, on fit une photo de la classe.

«Souriez, le petit oiseau va sortir !» s'exclama le photographe.

Richard Rat éclata de rire.

«Sur la photo, c'est toi le plus beau», affirma madame Rat. Richard Rat bomba le torse. Nom d'un sifflet ! elle avait bien raison. Il prit son petit sac de sport et il alla comme tous les samedis s'entraîner à son club.

Le taon musicien

Le taon tzigane quitta un jour son pays de Tziganie à bord d'une roulotte ornée de grelots tintinnabulants. Chemin faisant, il rencontra une cigale qui voyageait en auto-stop. Elle s'assit à côté de lui.

«Tagadi ! Tagada ! Tagadaga ! Tsoin-tsoin ! chantait-elle avec entrain. Je vais bientôt me réchauffer au soleil.»

Le soir venu, ils mangèrent des sandwiches autour d'un feu de bois.

Le taon tzigane joua une ritournelle sur son violoncelle. Un oiseau-mouche s'approcha :

«Hum ! Hum ! Moi, je joue du pipeau. Si vous voulez, je peux vous accompagner.»

Ils se lièrent d'amitié et firent la route ensemble. Ils jouaient quelquefois sur la place des villages qu'ils traversaient. Pour les remercier, on leur donnait des sous, du saucisson, du pain et du fromage.

Un jour enfin, ils arrivèrent dans la ville ensoleillée que la cigale affectionnait. Vite, elle se fabriqua une

petite cabane et l'installa à la cime d'un pin. Crkk ! Crkk ! Elle chanta.

Les trois amis formèrent un orchestre. Ils l'appelèrent *Le taon tzigane et sa compagnie*. Ils eurent beaucoup de succès. Une maison de disques les engagea. Ils passèrent à la télé et devinrent aussitôt célèbres.

Un jour, lassés d'être reconnus par leurs admirateurs et photographiés par tant de journalistes, les trois amis se déguisèrent. Mais ni foulards, ni chapeaux, ni perruques, ni lunettes n'empêchèrent les gens de les remarquer.

Aussi, il leur arrivait de monter la nuit dans leur roulotte ornée de grelots tintinnabulants et, cloc ! cloc !

cloc ! de repartir pour quelques jours en Tziganie.

Là, ils pouvaient se promener dans la rue et manger au restaurant sans crainte. Personne ne les connaissait puisque, comme on le sait, nul n'est prophète en son pays !

Le bébé ogre qui n'avait jamais faim

Poucet était un bébé ogre. Il vivait dans une grande maison noire et rouge de l'autre côté de la forêt, avec son père le terrible ogre Garrravou et sa mère l'ogresse Garocarrresse.

Garrravou et Garocarrresse étaient énormes comme tous les ogres : une tête ronde, avec deux yeux ronds et globuleux, un nez rond comme une patate et une large bouche ronde, un ventre rond et un derrière rond : de vrais ballons !

Mais Poucet, lui, était maigre comme tout ! Évidemment, car il n'était pas un bébé ogre ordinaire : il n'avait jamais faim !

Pourtant ses parents avaient tout essayé. Depuis sa naissance, ils lui avaient proposé : du serpent farci, «Beurk» disait Poucet ; des brochettes de têtes de dragon, «Beurk, beurk» disait Poucet ; des sorcières bouillies dans la gadoue, «Beurk, beurk, beurk» disait Poucet ; des sorciers grillés aux petis oignons, «Beurk, beurk, beurk, beurk» disait Poucet.

Sa mère, l'ogresse Garocarrresse, se

mettait en colère. Elle frappait du poing sur la table et toutes les assiettes faisaient un triple saut périlleux.

«Tu vas obéirrr, oui ou non ?» grondait-elle en roulant ses gros yeux ronds.

Poucet secouait la tête : non, non, trois fois non !

Alors papa Garrravou s'armait de patience. Il faisait réchauffer le plat pour la vingtième fois et il demandait de sa voix la plus douce :

«Qui c'est le bébé ogrrre qui va fairrre plaisirrr à ses parents ? Une cuillèrrre de purrrée de sorrrcièrrre pourrr grrrand-pèrrre Tadepoussièrrre... Une cuillèrrre de grrratin de crrrocodile pourrr Tonton Rrralouchon...

— C'est pas bon», pleurnichait Poucet.

Le bébé ogre fermait la bouche juste au dernier moment. Hop là ! La cuillère sautait en l'air et retombait sur le gros nez rond de Garrravou en colère.

Garrravou et Garocarrresse ne savaient vraiment plus quoi faire. Ils avaient même demandé conseil à leur voisin le vétérinaire, mais celui-ci savait soigner les vaches trop aimables, les cochons amoureux du savon,

les canards boiteux et les perroquets muets... mais pas les ogres sans appétit !

«Puisque c'est comme ça, je vais te crrroquer tout crrru», décida Garrravou furieux.

Heureusement le vétérinaire se barricada chez lui et le terrible ogre ne put pas l'attraper.

Un jour, pendant la sieste de ses parents, Poucet sortit de la maison noire et rouge. Il trottina jusqu'au sous-bois et là... que vit-il ? Des cailloux blancs sur le chemin. Sans réfléchir, Poucet les suivit et il finit par rencontrer une petite fille toute ronde.

«Bonjour, dit-elle. Je m'appelle Pâquerette. Et toi, qui es-tu ? Tu as l'air bien maigrichon...

— Je suis Poucet, le petit ogre.

— Alors tu vas me manger ?» s'inquiéta la petite fille.

Le petit ogre se mit à rire :

«Sûrement pas, je n'ai pas faim.

— Tant mieux», dit Pâquerette.

Poucet n'en revint pas : c'était la première fois qu'on l'applaudissait quand il ne voulait pas manger.

«Et pourquoi mets-tu des cailloux par terre ? s'étonna le petit ogre.

— Pour retrouver le chemin de ma

maison, bien sûr», expliqua Pâquerette.

La petite fille prit la main de Poucet et elle l'entraîna dans la forêt. De l'autre côté du bois se trouvait une ville. C'est là que le père de Pâquerette était cuisinier dans un restaurant, *Le sanglier d'or*.

Mais pendant ce temps, que se passait-il dans la grande maison noire et rouge ? Garrravou et Garocarrresse s'inquiétaient.

«Où est encorrre passé ce petit voyou ? grognait Garrravou.

— J'imagine le pirrre», soupirait Garocarrresse.

Ils cherchèrent le bébé ogre de la cave au grenier, puis ils appelèrent Poucet aux quatre coins de la forêt. Soudain, ils aperçurent les cailloux blancs sur le chemin.

«Suivons-les, dit aussitôt Garocarrresse. C'est peut-êtrrre une piste sérrrieuse.»

C'est ainsi que les deux terribles ogres arrivèrent devant la porte du restaurant *Le sanglier d'or*.

«Ça sent la chairrr frrraîche ! gronda Garrravou.

— Entrez !» dit une petite fille toute ronde.

Les yeux de l'ogre brillèrent de gourmandise. Il avait grand-faim et très envie de croquer une petite fille pour son déjeuner.

«Ça sent la chairrr frrraîche, répéta-t-il.

— Évidemment, fit Pâquerette. Mon père prépare du steak tartare !

— Tarrrtarrre ? Qu'est-ce que c'est ? demanda Garocarrresse.

— Du bifteck haché cru, expliqua la petite fille. Cru cru turlututu !»

A ce moment-là, Poucet sortit sur le pas de la porte :

«Coucou, papa Garrravou ! Coucou, maman Garocarrresse !

— Poucet chérrri !» s'écrièrent les deux ogres, ravis.

Le petit ogre fit entrer ses parents dans le restaurant. Le père de Pâquerette apporta aussitôt un énorme saladier rempli de steak tartare, plein de câpres et de cornichons.

«C'est trrrès bon, dit Garrravou.

— Trrrès trrrès bon, approuva Garocarrresse.

— Surtout les cornichons», ajouta Poucet.

Après le déjeuner, le petit ogre et ses parents repartirent chez eux, dans la grande maison noire et rouge de l'autre côté de la forêt.

Poucet n'avait pas plus d'appétit qu'avant, mais pour faire plaisir à Pâquerette, il avalait tous les jours le contenu du bocal de cornichons que sa petite amie lui apportait.

Et quand Poucet voulait rendre visite à Pâquerette... comment faisait-il pour ne pas se perdre dans les bois ? Il suivait les cailloux blancs déposés sur le chemin... évidemment !

Quant à Garrravou et Garocarr-resse, il paraît que depuis ce jour-là, ils ne terrorisent plus la région car ils se sont découvert une vraie passion pour les sandwiches au steak tar-tare... ou plutôt au steak tarrrrr-tarrrrre rrrrrempli de câprrrrres et de corrrrrnichons !

Zozio le robot

Zozio était un vieux robot au long cou-ressort. Il travaillait comme jardinier à la mairie de Porapache. Mais Zozio était si vieux, si cabossé qu'il fallait souvent le réparer. Heureusement, Démo le robot-plombier était un réparateur extraordinaire et jusqu'à présent il avait toujours réussi à remettre Zozio sur pied.

«Bili-bip-bo ! disait le robot pour le remercier.

— De rien ! répondait Démo. Entre collègues, il faut s'entraider.»

Un matin, Zozio s'éveilla complètement coincé. Dès qu'il essayait de faire un mouvement, on entendait des crac, des cric et des crouc catastrophiques ! Il lança aussitôt un appel au secours :

«S.O.S. ! Ici Zozio ! Est-ce que tu m'entends, Démo ? Est-ce que tu m'entends ?

— Qu'est-ce que c'est ? demanda le robot-plombier, réveillé en sursaut. C'est toi, Zozio ?

— S.O.S. ! répéta Zozio. Je ne peux plus bouger.»

Démo accourut avec sa mallette d'urgence. Il ausculta Zozio ; le regarda dessus, dessous, dedans, dehors... et finit par conclure :

«Ne t'inquiète pas, mon vieux. Tu manques simplement d'huile...»

En effet, quelques gouttes d'huile suffirent... et Zozio put aller enlever les mauvaises herbes de l'allée.

«Bili-bip-bo !» dit-il en prenant son râteau.

Démo hocha la tête :

«Fais attention, Zozio ! Il ne faudrait pas que le maire se rende compte de ton état...

— Mon état ? Quel état ? sursauta Zozio.

— Tu n'es plus tout jeune», fit le robot-plombier.

Vexé, Zozio se mit à danser. Il fit trente-six galipettes, il agita son cou rouillé et sauta à cloche-pied d'un bout à l'autre de l'allée.

«Je ne suis pas si vieux que ça ! criait-il. Qui serait capable d'en faire autant que moi ? Sûrement pas toi, caramator et nom d'un ressort !»

Soudain, une lampe bleue se mit à clignoter au sommet de sa tête ; sa sirène d'alarme se déclencha TOU-OU-OU-OUT ! Ses trois moteurs s'emballèrent CRRRRRR !

«Va vite te cacher !» ordonna Démo.

Zozio voulut avancer... CRRRRRR ! il recula !

Zozio voulut tourner à droite... CRRRRRR ! il vira à gauche !

Zozio voulut s'enfuir... CRRRRRR ! il s'arrêta au milieu de l'allée.

Il était complètement déréglé : une véritable calamité !

Évidemment, le maire et ses adjoints sortirent de la mairie :

«Qu'est-ce que c'est ? Un accident ? Un incendie ? Un ouragan ?

— Simplement Zozio qui a un petit problème, expliqua Démo.

— Vous appelez ça un petit problème ? hurla le maire en colère. Dès demain, nous irons le jeter à la casse.»

Et sur ces mots, le maire entraîna ses adjoints.

A la casse ? Quelle horreur ! C'était là que finissaient les voitures accidentées, les autobus cassés et les motos rouillées.

«Zozio, il faut que tu partes d'ici, chuchota le robot-plombier. Je n'ai même pas le temps de te réparer. File avant que le maire ne revienne !»

Démo plaça la burette d'huile et quelques outils dans une des poches métalliques de Zozio, puis il le poussa dans la rue.

«Bonne chance ! fit Démo.

— Bili-bip-bo !»

Zozio s'éloigna à toute vitesse... à reculons ! car sa marche avant refusait de lui obéir.

Sa lampe bleue clignotait toujours ! Sa sirène d'alarme lançait un TOU-OU-OU-OUT retentissant... et tout le monde le laissait passer, croyant qu'il s'agissait d'une voiture de police particulièrement pressée.

Le robot déréglé traversa ainsi la ville de Porapache.

La lampe bleue s'éteignit. La sirène d'alarme se calma. Et les trois moteurs fatigués s'arrêtèrent de tourner. Enfin Zozio stoppa devant une usine abandonnée.

Il avait envie de pleurer mais il se retint car c'était la pire catastrophe pour les robots : à la moindre larme, on commençait à rouiller de l'intérieur... en quelques semaines, on était fichu, perdu, bon pour la poubelle !

«Bili-bip-bo, soupira Zozio.

— Ça alors ! Une boîte de conserve qui parle, s'écria une voix.

— Moi, une boîte de conserve ?» s'étonna le robot.

C'était la première fois de sa vie qu'on le traitait de boîte de conserve. Il y avait de quoi se fâcher, mais comme la journée avait déjà été très mouvementée, il préféra se taire.

«Tu ne parles plus ? demanda la voix. Je sais bien que tu n'es pas une boîte de conserve ; je disais ça pour te taquiner...»

Un petit garçon sortit de sa cachette. Il avait un visage tout rond couvert de taches de rousseur, des cheveux bruns bouclés et de larges yeux noirs.

«Je m'appelle Yann. et toi ?

— Zozio.

— Quel drôle de nom pour un robot au long cou !» dit le petit garçon qui éclata de rire.

Yann s'approcha de Zozio et fit la grimace :

«Tu es bien cabossé pour un robot !

— Je suis même complètement déréglé, ajouta Zozio. Le maire de Porapache a décidé de m'envoyer à la casse...

— A la casse ? s'écria le petit garçon. Ah, ça jamais ! J'ai une bien meilleure idée...»

Yann entraîna aussitôt Zozio au fond de l'usine abandonnée. C'est là qu'il avait installé son atelier.

Il ordonna au robot de s'allonger sur une table et de ne plus bouger.

«Caramator et nom d'un ressort, que vas-tu faire ? s'inquiéta Zozio.

— Si tu es d'accord, je vais essayer de te réparer et de te rajeunir un peu, dit Yann. Mais je ne suis pas sûr de réussir...

— Et et et alors ? bredouilla le robot.

— C'est la mort», répondit Yann.

Zozio réfléchit : soit il finissait à la casse ou à la poubelle dans quelques semaines, soit il acceptait et il avait une chance sur deux de rester en vie.

«D'accord ! dit-il enfin. Mais je déteste les piqûres...

— Ne t'en fais pas, fit le petit garçon. Tu ne sentiras rien, c'est promis. »

Yann coupa aussitôt quelques fils électriques du robot et celui-ci s'endormit.

Yann était un drôle de petit garçon : toujours le dernier en dictée, en grammaire et en récitation... mais c'était un vrai champion de mathématiques, un champion de la mécanique !

S'il démontait la télévision de ses parents... quand il la remontait, elle marchait encore mieux qu'avant ! Un jour, il avait même réparé l'appareil photo de sa grand-mère... le lendemain, l'appareil prenait trois photos à la fois : une devant, une en l'air et une en bas... Personne n'avait jamais vu ça !

Yann ouvrit donc Zozio, le robot au long cou. Il dévissa toutes les plaques ; il désenroula les ressorts ; il remplaça les fils abîmés et les pièces cabossées...

«Il y a beaucoup trop de morceaux !» décida-t-il en en laissant la moitié de côté.

Puis il se mit à reconstruire Zozio

un peu moins grand mais nettement plus beau. Le soir enfin, le robot fut terminé.

Yann tourna une minuscule clef, appuya sur un bouton et Zozio ouvrit les yeux.

«Bonsoir ! dit Yann. Tu as bien dormi ?

— Bili-bip-bo, fit Zozio. Je suis guéri ?

— Complètement !» répondit le petit garçon.

Zozio descendit de la table et se dirigea vers une glace.

Incroyable ! Il ne se reconnut pas : il avait rajeuni de trente ans... mais il était aussi deux fois plus petit et deux fois moins large qu'avant !

«Je je je ne comprends pas pas, bégaya-t-il. Que s'est-il passé ?

— C'est une surprise !» dit Yann.

Le petit garçon ouvrit la porte d'un placard. Qu'y avait-il à l'intérieur ? Une demoiselle robot, ravissante, lumineuse et clignotante.

«Oh !» s'écria Zozio ébloui.

Eh oui ! Avec un vieux robot pourri, Yann avait fabriqué deux petits robots : Zozio et Zazounette.

«Je vous laisse, dit le petit garçon. Je reviendrai vous voir demain.

— Bili-bip-bo !» répondirent les deux robots.

C'est ainsi que Zozio épousa Zazounette. Et depuis, on peut apercevoir dans l'usine abandonnée de Porapache plein de petits robots rigolos qui clignotent sans arrêt.

Désiré Perroquet et Sourianpo

Zig ! Zig ! En habit vert, Désiré Perroquet sautillait vers le village de Rosepoum : Jean Lesinge, le grainetier, venait de recevoir des graines-surprises des îles Blagapar !

Désiré Perroquet acheta la plus grosse et la mit dans un pot. Palsambleu ! il lui poussa un drôle de truc, moitié souris et moitié plante qui s'appelait Sourianpo.

Ils firent bon ménage. Sourianpo fredonnait souvent les airs joyeux des îles Blagapar. Zam ! Ziz ! le perroquet dansait. Durant son séjour dans le pot, Sourianpo s'occupa. Elle enfila des perles, tricota des mitaines, et broda un mouchoir au point de bourdon. Exceptionnellement, elle reprisa les chaussettes de Désiré, trouées au bout, quelle pitié !

Un matin, Désiré Perroquet trouva le pot vide. Il ne restait plus qu'une tige fanée et les empreintes de deux pieds de souris.

«Coucou, je suis là !» dit la petite voix de Sourianpo.

Elle avait accroché son baluchon à une aiguille à tricoter et attendait devant la porte.

«Mais tu es devenue une vraie souris ! s'exclama le perroquet. Dis-moi, où t'en vas-tu comme ça ?

— Je vais faire le tour du monde. Au revoir et merci pour le pot, hein ?»

Frrt ! Frrt ! Sourianpo partit sans se retourner.

Désiré Perroquet acheta le reste de ses graines-surprises à Jean Lesinge.

«Cette fois-ci, s'il me vient une jolie souris, je ne la laisserai pas s'en aller, déclara-t-il au singe. Je l'attacherai plutôt au pot. Avec une ficelle, s'il le faut !»

Désiré Perroquet planta les graines. Il obtint des tournesols, des bleuets, des courgettes, des pastèques, des marguerites et des pétunias mais pas la moindre Sourianpo !

«Le fournisseur m'a trompé. Il n'y avait qu'une graine-surprise dans le lot», fit remarquer le singe.

Un an après ce remarquable événement, Désiré Perroquet reçut une carte postale.

«Coucou, c'est moi ! écrivait Sourianpo. J'ai beaucoup voyagé. Maintenant, je vends du muguet à Chaville. Viens passer un week-end à la maison !»

Désiré Perroquet prépara ses bagages. Il mit son chapeau melon et hop ! il partit pour Chaville.

La Fée du Souci

Il était une fois une petite fée qui habitait dans une fleur de souci. Aussi, on l'appelait « la Fée du Souci ».

Un jour, Zita Fourmi frappa à sa porte :

« Coucou, c'est moi ! Fée du Souci, tu peux m'aider à transporter un grain de blé ? »

La fée descendit de la fleur par une échelle minuscule. Elle essaya de soulever le grain de blé. Mais elle n'y parvint pas à la force du poignet. Elle utilisa alors sa baguette magique.

« Am stram gram ! » Le grain de blé roula jusqu'à la fourmilière.

Zita Fourmi remercia la fée.

Un matin, la Fée du Souci alla se laver dans une goutte de rosée. Tiens, tiens ! Quelqu'un sautillait sur le chemin. « Mais c'est Eulalie Pie, se dit la fée, comme elle a l'air inquiète ! »

« Fée du Souci, gémit la pie, je suis invitée ce soir au bal des corbeaux et je n'ai rien à me mettre ! »

La fée scanda « Am stram gram ! ».

Une robe de lune apparut au bout de sa baguette. Eulalie Pie remercia la fée.

Une nuit, la tempête fit rage. La fleur de souci roula et tangua sous les flots de pluie. Au matin, la Fée du Souci ouvrit ses volets. Le soleil brillait de nouveau.

Oh ! que se passait-il ? Assise sur une pierre, Marie Souris sanglotait. Son terrier s'était effondré. Elle ne savait pas où aller.

« Am stram gram ! » La Fée du Souci lui offrit une adorable maisonnette clôturée de haies vives.

Marie Souris remercia la fée.

Par une belle matinée de juin, Zita Fourmi, Eulalie Pie et Marie Souris allèrent cueillir un panier de cerises, une brassée de fleurs des champs et deux douzaines de morilles blondes.

« Joyeux anniversaire, Fée du Souci ! » dirent-elles sous sa fenêtre.

La Fée du Souci fut très contente. Elle organisa un repas champêtre, composé seulement de gâteaux.

Les quatre amies se baignèrent dans la rivière et se tressèrent des couronnes de roses trémières.

Un rossignol chanta le soir et la petite fée dansa.

Les trois tortues

Trois tortues se hâtent au clair de lune.

Chemin faisant, elles rencontrent une sorcière.

« Où allez-vous ? demande-t-elle.

— Nous sommes invitées au bal des pies. Voyez, nous avons mis nos plus jolis habits.

— Moi aussi, je veux y aller !

— C'est impossible. Les sorcières ne sont pas admises. »

La sorcière en colère crie « abracadabra ! ».

Les trois tortues sont aussitôt changées en pierres.

Dans leur château, les pies s'inquiètent : Ursule, Russule et Fibule ne sont pas encore là, et la fée non plus.

Le lièvre regarde sa montre à tout bout de champ.

« Oui, c'est vraiment très étonnant, affirme-t-il en hochant la tête.

— Tant pis, décident les pies, le bal va commencer sans elles. »

Des castors en perruques poudrées jouent des valses au violoncelle.

La fée attendue au bal des pies a perdu son gant en marchant ; elle a essayé de le retrouver et ça l'a retardée. Maintenant, il faut qu'elle coure.

Elle voit les pierres debout sur le chemin. « Ce sont les trois tortues. La sorcière est sûrement passée par là ! »

« Am stram gram », dit-elle.

Les tortues se mettent à bouger. Elles remercient la fée et font le reste du trajet ensemble.

Des applaudissements saluent leur arrivée.

« Que s'est-il passé ? questionnent les pies.

— Oh, rien ! répond Russule avec un clin d'œil. Nous aurions dû partir plus tôt. Nous sommes lentes, vous savez. »

Le lièvre leur raconte des histoires drôles. Elles rient à gorge déployée, dansent le menuet et oublient tout à fait leur fâcheuse aventure.

Le trésor
des petits lapins

Deux petits lapins, Fritt et Froutt, ramassaient un jour des carottes sauvages dans la forêt. Leurs paniers remplis, ils se préparaient à rentrer quand, tout à coup, une horrible vieille surgit d'on ne sait où. Crac et frtt ! Frtt et crac ! faisaient ses sabots en piétinant les feuilles mortes.

« La charité, petits lapins, pour une vieille qui meurt de faim !» murmura-t-elle en tendant sa main crochue.

Fritt et Froutt se regardèrent. Bon, d'accord, elle était laide à faire peur, mais après tout, elle n'avait pas l'air méchante et elle paraissait réellement affamée. Ils lui donnèrent leurs carottes.

La petite vieille sortit alors un drôle de bâton caché sous son fichu.

« Am stram gram ! dit-elle. Baguette magique, rends-moi mon apparence, s'il te plaît. »

119

Oh ! L'affreuse vieille était devenue une jolie fée.

« Je m'appelle Flora. J'ai voulu savoir si vous étiez gentils. Vous m'avez secourue en me donnant tout ce que vous aviez. A mon tour, je vais vous aider. Vous voyez ce tas de feuilles mortes sous le chêne ? Grattez-le bien ! Au revoir ! »

Flora s'éloigna dans le délicat bruissement de sa robe de soie. Gratte et gratte, avec les griffes, avec les pattes, ils farfouillèrent tant et si bien qu'ils découvrirent un coffret rempli de bijoux, de pierreries et de pièces d'or.

Tout heureux, Fritt et Froutt s'embrassèrent. Ils s'achetèrent de beaux habits, ils se construisirent une cabane qui ne laissa plus passer la pluie et cultivèrent leur bout de jardin.

Un jour, Fritt et Froutt revirent la fée. Elle cueillait des ancolies sur le bord d'un sentier.

« Flora, quel bonheur, nous t'avons retrouvée ! »

Ils l'invitèrent à prendre le thé. Ils devinrent de grands amis et ils ne se perdirent plus de vue.

Hugues Canard

Hugues Canard vivait au bord du lac, dans une petite hutte bâtie sur pilotis. Chaque jour, il pêchait du poisson pour le vendre au marché. Il y allait à dos d'âne bâté. Quelle équipée !

L'âne s'arrêtait quand ça lui chantait : pour regarder un papillon, pour sentir une fleur, pour croquer un chardon. Pendant ce temps, Hugues Canard faisait des mots croisés. Bringuebi-bringuebale, ils arrivaient en ville tant bien que mal.

On les attendait avec impatience :

« Ah ! vous voilà enfin ! Le poisson est encore frais ? leur demandait-on.

— Oui ! Vous savez bien que je le transporte toujours dans une glacière », répondait Hugues Canard.

En cinq minutes, pfft ! les paniers étaient vidés.

Gling ! Gling ! Hugues Canard faisait tinter de belles pièces d'or dans la poche de son gilet. Il attachait son âne devant une guinguette et il entrait boire du jus de pommes. Il apportait toujours un verre de grenadine à l'âne.

Un jour, pfuit ! Hugues Canard ne trouva plus qu'un bout de corde qui pendait. L'âne s'était envolé !

« Mon âne, où es-tu ? se lamentait Hugues Canard.

— Je l'ai vu prendre cette rue », lui apprit monsieur Dindon qui passait par là en se dandinant.

L'âne était entré dans un magasin. Il s'était acheté un chapeau tyrolien, un pantalon et une paire de bretelles.

Hugues Canard paya le tout.

« Tu comprends, maintenant je suis chic pour venir à la ville », lui expliqua son âne.

Hugues Canard l'approuva. Il aurait pu y penser lui-même !

Le lendemain, Hugues Canard fit griller du poisson. Il prépara aussi des œufs à la neige et invita tout le lac à venir admirer l'âne habillé : Jean Pélican, Sylvie Cigogne, Cyril Cygne et Vanessa Oie. L'âne eut beaucoup de succès. Comme il était aussi musicien, il joua de l'accordéon et ils dansèrent sous les lampions.

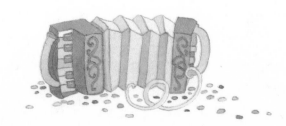

Ratounot et Biberin

Deux petits rats orphelins, Ratounot et Biberin, habitaient une cabane, juste à l'orée de la forêt.

Ce matin-là, ils attendaient pour se lever que leur cigale apprivoisée se mette enfin à chanter.

Au bout d'un long moment, Ratounot s'inquiéta :

«Dis, Biberin, tu as entendu la cigale ce matin ?»

Biberin bâilla :

«Pas encore, Ratounot.»

Ratounot sauta de son lit. Il alla voir la cigale.

Elle était blottie dans un coin de sa petite cage.

«Bonjour, Cigale ! Tu n'es pas bavarde aujourd'hui !

— Crkk ! Crkk !» répondit-elle tristement.

Elle essaya de se dresser sur ses pattes, mais retomba sur son petit derrière.

«Biberin, la cigale est malade ! Il faut aller voir la tante Biberine !» cria Ratounot.

Ils s'habillèrent tout de travers et partirent sans déjeuner. Ratounot serrait bien fort la cage entre ses pattes.

Chemin faisant, ils rencontrèrent Monsieur Leloup.

«Hou ! Hou ! dit-il en sortant du

bois. Mais c'est Ratounot et Biberin ! Où allez-vous de bon matin ? demanda-t-il, en faisant le gentil.

— Notre cigale est malade et nous allons de ce pas consulter la tante Biberine qui connaît le secret de toutes les maladies, répondirent les petits rats.

— Savez-vous que je suis un peu docteur ? Laissez-moi examiner votre cigale. En moins de deux, je vous la guérirai ! s'exclama Monsieur Leloup.

'— Taratata ! On connaît la chanson. D'un coup de dent, scruntch ! grand méchant, vous croqueriez notre cigale. Avec vous, la cage serait vite vide. Et le matin, pfft ! Plus de petite chanson pour nous réveiller. Notre cabane serait silencieuse et nous, si tristes !» déclara Ratounot.

Monsieur Leloup prit sa mallette de docteur, cachée au creux d'un arbre :

«Regardez ! J'ai une blouse, un bonnet et un stéthoscope !

— Après tout, Monsieur Leloup dit peut-être la vérité», murmura Biberin, impressionné.

Ratounot réfléchit :

«Bon, c'est d'accord. Mais attention, nous vous surveillons !»

Monsieur Leloup fit le savant. Il mit sa blouse, son bonnet ; il fourra le stéthoscope dans ses grandes oreilles et il ausculta la cigale qui tremblait.

Monsieur Leloup prit un air soucieux.

«Votre cigale a la gale, annonça-t-il en faisant claquer sa langue. Méfiez-vous, c'est contagieux. Si par malheur vous l'attrapez, vous vous gratterez comme des singes, vos poils tomberont - je ne crois pas qu'ils repousseront -, vous serez chauves et laids. Il faut la mettre en quarantaine. Laissez-la donc chez moi. J'ai une grande maison avec tout ce qu'il faut pour la soigner.»

Toc ! Un écureuil lui jeta une noisette sur la tête.

«Ne l'écoutez pas ! C'est un menteur, pas un docteur. Si vous lui confiez votre cigale, il la mangera dès que vous aurez le dos tourné !» affirma-t-il aux petits rats.

Monsieur Leloup grimpa sur l'arbre pour punir cet écureuil qui se mêlait de ce qui ne le regardait pas. Mais il s'empêtra dans sa longue blouse et il tomba la tête la première.

Ratounot et Biberin continuèrent leur chemin.

Ils arrivèrent enfin chez la tante Biberine.

«Bonjour, les enfants ! s'écria-t-elle, l'air guilleret. Justement, je faisais des crêpes aux myrtilles. Vous allez les goûter !

— Tout à l'heure, tante Biberine, dirent les petits rats en l'embrassant, car pour l'instant, nous nous faisons du souci. Notre cigale ne chante plus. Elle est sûrement malade. Monsieur Leloup prétend qu'elle a la gale mais l'écureuil dit que c'est un menteur.

— Monsieur Leloup ? Évidemment, c'est un charlatan ! Il se déguiserait en diable, s'il le fallait ; car, pour lui, tout ce qui rentre fait ventre !» s'exclama la tante Biberine.

Elle mit ses lunettes et ausculta la cigale. Elle lui palpa l'abdomen, elle examina ses ailes, elle lui regarda les yeux et le fond de la gorge.

«Votre cigale a les amygdales ! déclara-t-elle finalement.

— Les amygdales ? Mais c'est grave ! gémirent les petits rats.

— Pas du tout, si elle est bien soignée. Je vais l'opérer. Vous verrez, dans huit jours, elle chantera encore mieux qu'avant.»

Pendant que la tante Biberine opérait la cigale, Ratounot et Biberin inventèrent une petite chanson pour se changer les idées :

Ma cigale n'a pas la gale,
juste les amygdales.
Monsieur Leloup a menti,
la tante Biberine nous l'a dit.

La tante Biberine se lava les pattes : «Et voilà, j'ai terminé ! Je vais la garder ici. C'est plus prudent. Au moins, je saurai si elle a de la fièvre. Voulez-vous rester aussi ?

— C'est impossible ! Il y a le géranium à arroser ! dit Ratounot.

— J'ai oublié de fermer la porte à clé ! ajouta Biberin. Mais nous viendrons très souvent ; d'accord, Cigale ?»

La cigale ne pouvait pas répondre mais ses yeux pétillaient de joie.

La tante Biberine lui mit un cache-nez, et lui donna une sucette glacée.

«Ainsi, tu ne prendras pas froid par-dessus le marché et ta gorge sera moins enflammée !» dit-elle à la cigale.

Ma cigale n'avait pas la gale,
juste les amygdales.
Monsieur Leloup a menti,
la tante Biberine l'a guérie.

Justement, Monsieur Leloup, habillé en docteur, faisait le guet avec une fleur :

«Bonjour, Ratounot ! Bonjour, Biberin ! Alors, cette cigale, elle a toujours la gale ?

Ratounot et Biberin allèrent voir leur cigale tous les jours.

Un matin, du bout du chemin, ils l'entendirent chanter à tue-tête. Ils accélérèrent le pas.

Elle ne portait plus de cache-nez et ne mangeait plus de sucettes glacées. Enfin, elle était guérie !

Ratounot et Biberin dansèrent joyeusement sous les yeux attendris de la tante Biberine. La cigale chanta de plus belle. Ils s'en retournèrent chez eux en balançant doucement la petite cage.

— C'était les amygdales. Espèce de cannibale, vous vouliez la manger crue, hein ? hurla Ratounot en brandissant un bâton plein de piquants.

— La tante Biberine l'a guérie. Laissez-nous tranquilles ou nous vous piquerons avec ce bâton, ajouta Biberin.

— Tch ! Tch ! Tch !» menaça la cigale en faisant la grimace.

«Trois contre un plus un bâton plein de piquants. Hé ! Hé ! J'aime mieux faire la paix !» pensa Monsieur Leloup.

Il se dandina d'une patte sur l'autre :

«Prenez cette jolie fleur, Cigale !» susurra-t-il.

Il la glissa entre les barreaux et il partit en sifflotant.

La cigale retrouva avec plaisir la cabane des petits rats. Elle balaya la cage et se balança sur son perchoir en fredonnant crkk ! crkk ! crkk ! sa chanson préférée.

Tout content, Ratounot alla cueillir de belles framboises dans le jardin. Biberin fit une grosse tarte.

Le lendemain, ils l'apportèrent à la tante Biberine pour la remercier d'avoir si bien soigné leur cigale bien-aimée.

128

Lili Papillon

Lili Papillon prit son panier, et s'en alla aux commissions. Elle demanda de la farine au meunier, un œuf à la poule, du miel à l'abeille et du lait à la vache. Puis elle rentra faire de bonnes crêpes au miel.

Toc, toc, toc ! Le meunier frappa à la porte :

« Lili, je t'ai donné de la farine. Tu peux m'inviter ?

— Bien sûr ! » répondit Lili.

Toc, toc, toc ! La poule frappa à la porte :

« Lili, je t'ai donné un œuf. Tu peux m'inviter ?

— Bien sûr ! » répondit Lili.

Toc, toc, toc ! L'abeille frappa à la porte :

« Lili, je t'ai donné du miel. Tu peux m'inviter ?

— Bien sûr ! » répondit Lili.

Toc, toc, toc ! La vache frappa à la porte :

« Lili, je t'ai donné du lait. Tu peux m'inviter ?

— Bien sûr ! » répondit Lili.

Lili et ses amis se mirent à table. Soudain, toc, toc, toc ! On frappa encore à la porte !

« Tiens, tiens ! s'étonna Lili. Je me demande qui c'est ? »

C'était un tout petit ourson.

« Ça sent bon jusque dans la forêt. J'en veux moi aussi !

— Bien sûr ! répondit Lili.

— Mais l'ourson ne t'a rien donné, lui ! dirent ensemble le meunier, la poule, l'abeille et la vache.

— C'est un bébé ; que peut-il me donner ? » demanda Lili.

L'ourson alla cueillir une rose dans le jardin.

« C'est pour vous ! annonça-t-il.

— Oh, qu'il est gentil ! » dirent ensemble le meunier, la poule, l'abeille et la vache.

L'ourson mangea une crêpe. Il s'endormit sur son assiette. Le meunier l'installa sur le dos de la vache qui le raccompagna dans la forêt.

Le meunier, la poule et l'abeille s'en allèrent aussi.

« Au revoir, Lili, dirent-ils, et merci ! »

Lili Papillon était contente. La prochaine fois, elle leur ferait des beignets aux pommes !

Le melon de la fée

Il était une fois une petite vieille toute ridée qui n'avait que son perroquet à aimer. Un beau jour, elle décida d'aller voir la fée Aglaé. Elle mit des pommes et des noix dans son panier, ferma sa porte à clé et s'enfonça dans la forêt. Clip ! clop ! clip ! clop !

La petite vieille offrit à la fée le contenu de son panier.

Elle se plaignit doucement :

«Madame la fée, je suis si triste, toute seule avec mon perroquet. Ah ! si seulement j'avais de beaux enfants à cajoler dans ma maison !

— Qu'à cela ne tienne, petite vieille !» lui dit la fée.

Elle lui donna un melon mûr à point qu'elle cueillit dans son jardin.

«Vous planterez les deux plus belles graines sur du coton mouillé et puis vous verrez bien !»

La petite vieille mit le melon dans son panier et elle s'en retourna par le même chemin. Clip ! clop ! clip ! clop !

Oui, mais voilà ! Une sorcière méchante et laide, jeteuse de sorts, spécialiste de conseils en tous genres, s'était récemment installée dans la forêt.

Comme personne ne venait la voir,

elle jalousait la fée Aglaé et les gens qui la fréquentaient.

Cachée derrière un arbre, elle avait tout entendu.

«Abracadabra ! Rira bien qui rira le dernier !» grogna-t-elle.

Faisant en tout point ce que la fée lui avait indiqué, la petite vieille planta et arrosa les deux plus jolies graines.

Un jour enfin, elle découvrit un petit garçon et une petite fille couchés dans la fleur du melon. Ils étaient beaux comme les gouttelettes d'eau qui perlent sur les feuilles à l'aube. Elle les appela donc Roset et Rosette. Toute joyeuse, elle leur cousit des vêtements minuscules et leur mit aux pieds des sabots taillés dans un noyau évidé.

Les deux petits aimaient beaucoup se promener à dos de perroquet. Il les emmenait jusque sur le vieux lustre de la cuisine. Par la fenêtre ouverte, il s'envolait parfois vers le gros cerisier. Quel merveilleux voyage ! Cachés par le feuillage, Roset et Rosette sautaient de branche en branche. A cheval sur les cerises, ils se balançaient toujours plus haut en chantant cerisi, cerisa, tra lalère, tra la la !

Un matin, la petite vieille remplit une corbeille de linge.

«Mes chers petits, je vais laver. Je reviendrai au déjeuner. Écoutez bien le perroquet.»

Clip ! clop ! clip ! clop ! Elle partit.

Oui, mais voilà ! La fameuse sorcière montait la garde derrière un arbre. Quand elle n'entendit plus le bruit des sabots de la petite vieille sur le chemin, elle alla frapper à la porte. Toc ! toc ! toc !

«Qui est là ? demanda le perroquet.

— C'est la fée Aglaé. Je voudrais voir vos protégés», répondit la sorcière en contrefaisant sa voix.

Le perroquet souleva le loquet. Vroum ! la sorcière entra. «Abracadabra !» elle lui jeta un sort, et il s'immobilisa comme une statue de sel. Elle mit alors Roset et Rosette dans son panier et s'enfuit à grandes enjambées.

Elle s'arrêta au bord de la rivière, déposa les deux enfants sur une feuille morte et la laissa filer au gré de l'eau.

«Abracadabra ! marmonna-t-elle. En route pour les îles Caraco, vilaines graines d'un melon de fée. Rien que ça, s'il vous plaît ! Et ne revenez jamais ici !»

Zou ! De fort joyeuse humeur, la sorcière fit le grand écart en chantant tra déri déra, la reine de la forêt, ce n'est pas Aglaé, c'est moi, hé ! hé !

La petite vieille rapporta du lavoir son linge propre, séché, bien plié.

Oui, mais voilà ! Hormis le perroquet qui ne bougeait pas plus qu'un manche à balai, la maison était vide !

Sans même refermer la porte, la petite vieille courut chez la fée Aglaé :

«Aidez-moi, bonne fée ! dit-elle, tout éplorée. Mes deux petits ont disparu. Mon perroquet ne bouge plus.»

La fée la réconforta :

«Tout cela sent bigrement la sorcière. N'ayez crainte, ma baguette

nés à leur feuille, Roset et Rosette pleuraient doucement.

«Petite vieille, chère maman, nous ne te reverrons donc plus jamais ?» murmuraient-ils.

Juste à ce moment-là, le perroquet cria gaiement :

«Coucou, c'est nous !»

Il les fit asseoir sur son dos et hop ! il les déposa dans les bras de la petite vieille.

La joie fut grande, vous savez !

magique vient à bout de tous les sorts qu'elle peut jeter.»

Elles retournèrent ensemble dans la maison de la petite vieille.

«Am stram gram !» La fée délivra le perroquet. Tout joyeux de pouvoir bouger, il sautilla, battit des ailes et s'étira.

Ils parcoururent la forêt et fouillèrent les taillis sans retrouver les deux enfants.

La fée eut tout à coup l'idée de marcher jusqu'à la rivière. Crampon-

La visite de la fée Aglaé effraya la sorcière.

«C'en est assez de tourmenter le brave petit monde de la forêt. Vous allez partir de gré ou de force !»

La fée mit la sorcière dans une barque. «Am stram gram !» elle l'expédia illico aux îles Caraco.

Ouf, quel débarras ! L'harmonie et la paix régnèrent dans la forêt. Roset et Rosette vécurent alors des jours heureux auprès de la petite vieille et de son perroquet.

Cet égoïste d'Ignace

Cela vous paraîtra peut-être incroyable : Ignace Lapin n'avait aucun ami ! C'est pourtant simple, il n'avait jamais rien voulu partager. Lorsqu'il trouvait des légumes dans les potagers, il les gardait pour lui. Aussi, on l'appelait «cet égoïste d'Ignace» !

Noël arriva. Pour la première fois de sa vie, Ignace Lapin se mit à réfléchir. Il se sentait devenir vieux. Les poils de sa moustache avaient blanchi. La semaine précédente, il avait même perdu une dent de devant :

«Je m'en rends bien compte à présent, j'ai passé mon temps à entasser de la nourriture dans mon grenier, se disait-il. Ah ! Si seulement je m'étais fait de bons amis ! Mais non, j'étais trop occupé à penser à moi !»

Ignace Lapin fit quelques pas dehors. Courbé sur sa canne, il pleurait tout doucement.

Frrt ! Frrt ! Un petit rat des champs emmitouflé jusqu'aux oreilles passa en sautillant.

«Saperlipopette ! Pleurer un soir de Noël, il faut le faire !» s'étonna-t-il.

Ignace renifla :

«Mais c'est que j'ai des raisons de pleurer ! Vous n'avez jamais entendu parler de moi ? Je suis ''cet égoïste

d'Ignace'' ! Personne ne vient me voir et personne ne m'aime ! Waouh !»

Il sanglota de plus belle.

«Taratata ! ricana le petit rat. Au lieu de vous lamenter, partagez ce que vous possédez. Vous verrez, les autres viendront vers vous.»

Frrt ! Frrt ! Le petit rat des champs se hâta sur la neige molle :

«Excusez-moi, je suis pressé. Ma femme et mes enfants m'attendent pour décorer l'arbre de Noël.»

Ignace Lapin s'affaira dans sa cuisine. Puis il mit son gilet de soie et sa culotte bouffante, il planta un sapin à l'entrée du terrier, il y suspendit de jolis cadeaux et écrivit sur une pancarte :

«VOULEZ-VOUS PASSER NOËL AVEC MOI ? J'AI PRÉPARÉ UN BON REPAS.»

Ignace Lapin n'attendit pas longtemps.

Floc ! Floc ! Traînant ses bottes pleines de neige, une fourmi vint à passer par là. Elle vit la pancarte, mit ses lunettes, lut le message et n'en crut pas ses yeux.

«Bonsoir, monsieur Lapin. C'est bien vrai, je peux entrer ? Il fait si froid dehors et je suis seule pour Noël.

— Entrez, mais entrez donc !» s'écria Ignace, tout content.

La fourmi fit sécher ses petites bottes au coin du feu.

Quelques instants plus tard, une souris vint à passer par là. Elle vit la pancarte, mit ses lunettes, lut le message et n'en crut pas ses yeux.

«Bonsoir, monsieur Lapin. C'est bien vrai, je peux entrer ? Il fait si froid dehors et je suis seule pour Noël.

— Entrez, mais entrez donc !» s'écria Ignace, tout content.

La souris fit sécher son bonnet de dentelle sur une chaise, au coin du feu.

La tempête se leva... Les flocons de neige voltigeaient comme des morceaux de coton. Le vent d'hiver hurlait hou ! hou !

«On n'y voit pas à un mètre. Je suis sûr que plus personne ne viendra maintenant !» déclara Ignace Lapin en fermant la porte de son terrier.

Juste à ce moment-là, toc ! toc ! toc ! un pauvre corbeau couvert de neige des pattes jusqu'aux yeux frappa à la porte. Il s'assit au coin du feu et mit sa pèlerine à sécher à côté des bottes de la fourmi et du bonnet de la souris.

Ignace Lapin sifflotait dans sa cuisine.

«A table !» annonça-t-il.

Ils mangèrent de bon appétit. Ignace Lapin alluma sa vieille radio.

Il valsa avec la souris. La fourmi sauta sur l'aile du corbeau et ils dansèrent jusqu'à minuit.

Ignace distribua ses cadeaux. Il offrit des souliers vernis à la fourmi, un paletot gris à la souris et un harmonica au corbeau.

Les quatre amis étaient heureux.

«Hier encore, on m'appelait Ignace l'égoïste et c'était mérité ! murmura le lapin.

— Dorénavant, on vous appellera Ignace le gentil. Vous aurez plein d'amis, voilà tout ! répondit la fourmi.

— Tenez, je vais vous tricoter un joli cache-nez. Le vôtre est tout mité, décida la souris.

— Il y aura bal tous les soirs devant votre terrier», ajouta le corbeau.

A dater de ce jour, Ignace Lapin ne compta plus ses amis.

L'ours acrobate et la vieille taupe

L'ours acrobate mit sa casquette. Puis il alla danser sur une corde. Patatras ! la corde cassa.

«Oh !» firent les spectateurs.

«Saperlotte et palsambleu ! J'ai sûrement trop mangé à midi !» pensa l'ours en tombant.

«Ouf ! ça aurait pu être plus grave, affirma le docteur. Vous avez juste une fracture de la patte droite.»

On l'emmena à l'hôpital. Sa voisine de chambre, une vieille taupe, était tombée de l'échelle du grenier d'où chaque soir elle contemplait la lune.

«Résultat, j'ai une patte dans le plâtre. Pas de chance, hein ?» dit-elle.

Elle tricotait sans arrêt des petits polichinelles en laine. La nuit, tandis que l'ours dormait, elle fredonnait de très jolies berceuses.

Le temps passa. Appuyés sur des béquilles, les deux amis purent enfin sautiller dans les jardins de l'hôpital.

«Je ne veux plus être acrobate, délara l'ours un jour. Si nous travaillions ensemble ? Toi, tu ferais tes polichinelles ; moi, je fabriquerais des jouets en bois. Qu'en penses-tu ?»

La taupe trouva l'idée excellente.

Clopin-clopant, ils sortirent de l'hôpital. Un taxi les emmena à la lisière de la forêt.

Poum ! tac ! poum ! tac ! l'ours fit de merveilleux jouets qu'il peignit ensuite de couleurs vives. Tricoti, tricota, la taupe confectionna un peu plus de deux mille polichinelles.

On approchait des fêtes de Noël. Des flocons de neige gros comme des clochettes de muguet tourbillonnaient dans le ciel. Emmitouflés jusqu'aux oreilles dans des châles en mohair, l'ours et la taupe prirent la route du marché. Sacrebleu ! Tout fut vendu en moins d'une heure. Ils s'achetèrent une charrette, un poney et hue ! et dia ! ils y retournèrent tous les jeudis.

140

La chaussure qui n'aimait pas marcher

Il était une fois un soulier
qui n'aimait pas du tout marcher.
Le cordonnier avait tout essayé :
Chaque matin, il le cirait, le recirait,
puis le faisait briller.

Mais le soulier
ne voulait toujours pas marcher !
«L'herbe chatouille ma semelle
et puis le gravier la gratouille.
La pluie me donne des frissons.
J'ai mal du bout jusqu'au talon.
Le soleil me fait transpirer,
mon lacet glisse sans arrêt...
J'en ai assez d'être soulier !»

Alors,
le cordonnier essaya de le teindre :
en jaune, en vert, en rouge, en bleu...
avec des cœurs ou des carreaux,
avec des I, des A, des O !

Il fit tout ce qu'il pouvait,
mais un jour, il en eut assez :

141

et *vlan,* il envoya voler
la chaussure jusqu'au grenier.

La chaussure était bien contente
de pouvoir se reposer :
Plus de cirage ! Plus de virage !
Plus de voyage !

Mais après une année,
elle voulut quitter le grenier,
traverser des jardins,
marcher sur les chemins,
faire crisser le gravier
et glisser sur le parquet.

Un saut *hop,* deux sauts *hop hop*
la voilà dans l'atelier !

Oh ! s'écrie le cordonnier,
mais je croyais l'avoir jetée !
Elle ira très bien avec celle
que je viens de terminer !

Un petit coup de cirage,
un nœud pour chaque lacet,
en route pour le voyage !

L'herbe chatouille,
le gravier gratouille :
c'est amusant pour des souliers !

Et de temps en temps,
le cordonnier, entre deux pas,
entend OH OH OH !
AH AH AH !

Ce sont les souliers qui rient aux éclats.

Le jardinier et l'épouvantail

Il était une fois un jardinier nommé Benoît qui aimait par-dessus tout les oiseaux et les fleurs ; dès l'aube, il allait leur rendre visite, s'asseyait dans l'herbe et, de sa plus belle voix, se mettait à chanter. Tous les oiseaux des alentours envahissaient le jardin, les abeilles dansaient autour des fleurs et Benoît ne connaissait pas de plus grand bonheur.

La veille de son anniversaire, il décida de leur faire une surprise, et, pour l'occasion, de jouer de la trompette. Toute la nuit, il s'exerça dans sa maison et, dès que le soleil embrasa l'horizon, il sortit, soufflant dans l'instrument à en perdre la tête ; mais les fleurs restaient inertes et les oiseaux ne se montraient pas.

«Bon, dit Benoît en posant sa trompette, sortez de vos cachettes ; si ça ne vous plaît pas, je vais chanter.»

Et, de sa belle voix grave, il entonna une ritournelle, puis écouta. Pas un bruissement d'aile. Benoît, inquiet, se mit à marcher de long en large dans le jardin, quand, soudain, il aperçut, cachée sous les marguerites, une petite mésange apeurée ; il la prit dans ses mains en lui demandant pourquoi elle tremblait si fort.

«Une de mes ailes est cassée et je n'ai pas pu m'envoler avec les autres qui sont tous partis dans la forêt à cause du grand sorcier, le mangeur d'oiseaux.

— Qu'est-ce que tu me chantes là ! De quel grand sorcier veux-tu parler ?

— De celui qui est tout au fond du jardin, appuyé à la haie.»

Benoît soigna la mésange, la confia aux pensées câlines et partit au bout du jardin.

Il trouva là un épouvantail égaré, le chapeau tombant sur l'œil et l'habit déchiré.

«C'est donc toi qui effraies les oiseaux ! Mais que fais-tu par ici ?

— Ah ! dit l'épouvantail en pleu-

143

rant, un vilain coup de vent m'a arraché à ma terre, moi qui suis si léger, m'a poussé à travers les airs, et si je ne m'étais pas accroché à cette haie, il m'aurait sûrement emmené de l'autre côté de l'univers. Maintenant qu'il s'est calmé, il n'y a pas moyen de le faire souffler de l'autre côté.

— Pauvre épouvantail, dit Benoît, moi, je vais t'aider à rentrer chez toi.»

Il le hissa sur son dos et partit à travers champs.

Il marchait en chantant quand soudain, dans son dos, l'épouvantail se mit à crier :

«Ça y est ! C'est ici ! Voici mon cher logis !» dit-il en désignant un grand champ de maïs.

Benoît le déposa par terre.

«Mille mercis ! dit l'épouvantail en lui donnant un baiser piquant, puis-

que les oiseaux sont tes amis, je vais changer de métier, je vais aller voir à l'étable si la vache n'a pas besoin d'un peu de paille pour réchauffer son petit.»

Et il partit.

Benoît, content de lui, s'en retourna dans son jardin où tous les oiseaux guettaient son retour ; quand il poussa la barrière, ils sortirent de leur cachette, le soulevèrent dans les airs, le posèrent délicatement dans la mousse près de sa trompette. Il y eut ce soir-là une merveilleuse fête où chacun prit part à un joyeux concert.

Olaf et les champignons de glace

Olaf, garçon lapon, bouchonna un jour son renne familier qu'il aimait comme un chien. Il remplit un sac de lichens et de poissons séchés, s'assit sur le dos de l'animal, s'accrocha à ses bois et regarda une dernière fois la cabane de ses parents.

«Renne, mon cher bestiau, je veux aller de l'autre côté du lac. On y trouve des champignons de glace, bons à manger, délicieux, parfumés. Je n'ai jamais quitté la maison et j'ai envie de voir le monde. Bien sûr, nous reviendrons. Dis, mon bestiau, tu veux bien m'y conduire ?»

Le renne remua son bout de queue avec enthousiasme.

Le renne trotta longtemps à travers les plaines neigeuses. Vers le soir, Olaf était bien las de tressauter sur sa monture.

«Renne, nous allons nous reposer. Qu'en penses-tu ?»

Le renne hocha la tête. Ils s'arrêtèrent près d'un rocher. Olaf rassembla des pierres et fit un feu au centre. Il mangea un hareng. Son renne grignota des lichens. Bien au chaud, bien rassasiés, ils se blottirent l'un contre l'autre et s'endormirent.

Ils repartirent tôt, le lendemain matin.

«Ça y est ! Nous y sommes ! hurla bientôt Olaf. Voilà le lac. Comme il est bien gelé, nous n'avons qu'à le traverser.»

Olaf agrippé à son coup, le renne marcha encore un peu avant de découvrir un champignon rouge à pois blancs.

Olaf sauta à terre :

«Renne, mon cher bestiau, je me demande si c'est vraiment une glace !»

Il suça le chapeau :

«Miam-Miam ! Grenadine et noix de coco. Tu veux goûter ?»

Le renne était si gourmand qu'il le mangea entièrement.

«Viens avec moi !» dit Olaf.

Il trouva un champignon vert, transparent et joli comme tout. Il le goûta et le recracha :

«Pouah ! De la menthe ! Moi qui ne l'aime pas !»

Olaf et son renne eurent envie d'aller plus loin. Ils arrivèrent dans un bois de bouleaux. Sur la neige, entre les arbres, des rangées de champignons dressaient gaiement leurs têtes multicolores comme autant d'épingles. Ils les goûtèrent tous.

Avec la nuit, le blizzard se mit à souffler. Tout gelé, Olaf fit vite un feu. Et quel feu !

«Renne, mon cher bestiau, regarde comme ton Olaf est dégourdi. Il fait presque trop chaud !» dit-il en éclatant de rire.

Mais le renne, qui regardait derrière Olaf, avait un air épouvanté.

A la fin, Olaf se retourna : un monstre l'observait dans un nuage de fumée blanche. Il s'approcha en crachant le feu comme un saltimbanque.

«Ahahah ! Tu te crois donc tellement malin ! Mais si tu as trop chaud, c'est bien grâce à moi. Ton feu n'y est pour rien.

— N'avancez plus ! cria Olaf. Et arrêtez de cracher. C'est dangereux. Vous pourriez brûler la forêt. Et puis, laissez-moi tranquille : je ne dois pas parler aux inconnus. Je l'ai promis à mes parents.

— Tu as donc peur de moi !» ricana le monstre.

Olaf haussa les épaules :

«Bon, je vais donc vous parler. Mais dites-moi qui vous êtes. Moi, je m'appelle Olaf. Et vous ?

— On m'appelle Dragon. Regarde !»

Il cracha trois longues flammes qui léchèrent la cime d'un bouleau avant de s'éteindre sur la neige avec un bruit mouillé.

«Ahahah ! Petit, tu sais que j'ai bien envie de te faire cuire ? Miam-Miam ! J'en ai l'eau à la bouche ! Et ton renne, alors, je m'en régalerais bien. Une bonne cuisse rôtie, j'aimerais ça, j'aimerais tellement ça !

— Cela suffit, Dragon ! dit Olaf d'une voix ferme. J'ai entendu parler de vous, je m'en souviens maintenant. Je n'ai pas peur. Je suis sûr que vous faites le méchant exprès. Vous ne toucherez pas à un poil de mon renne. C'est mon bestiau à moi. Si vous continuez à m'embêter, j'éteins toutes vos flammes.»

Olaf se mit à pétrir quelques boules de neige.

«Mais c'est qu'il est méchant, ce petit Olaf ! s'exclama le dragon. Bravo ! Tu t'es bien défendu mais moi, je plaisantais.

— Pas moi ! répondit Olaf. D'ailleurs, je veux bien me battre en duel contre vous. Je n'ai pas d'épée mais une branche fera l'affaire.

— Tsst ! Tsst ! fit le dragon avec un grand sourire. Soyons amis, veux-tu ?

— Pourquoi pas ? dit Olaf qui se méfiait encore. Mais au moins dites-moi ce que vous faites ici ?

— Je suis en vacances. Il faisait si chaud dans mon pays que je m'étouffais. Alors je suis parti. Et quand on a trop chaud, devine où l'on va ? Eh bien, dans un pays froid ! Aussi je suis venu me rafraîchir en Laponie.

— Ma foi, c'est une bonne idée. Dragon, vous êtes malin. Je vais vous dire un secret : vous êtes au pays des champignons de glace !

— Non ? Ce sont de vrais champignons ?

— Pas du tout ! Ils ont juste une forme de champignons. Regardez celui-ci, tout jaune. On dirait un lactaire safrané, n'est-ce pas ? Eh bien, c'est un sorbet. Léchez-le, vous verrez.»

Le dragon s'assit sur son derrière et se mit à manger :

«Ma foi, mon garçon, tu as raison : ce sont bien des glaces. Et quelles gla-

ces ! je me régale», dit-il, la bouche pleine.

Olaf creusa un trou dans le lac gelé. Il pêcha un gros poisson qu'il donna au dragon :

«Dragon, faites cuire ceci. Ce soir, je voudrais manger chaud.»

Le dragon cracha des flammes sur le poisson. Il prit très vite une belle couleur dorée.

Ce fut un fameux festin.

Comme il se faisait tard, Olaf se blottit contre son renne. La bouche du dragon brillait dans la nuit. Olaf eut une idée :

« Dragon, je voudrais visiter votre gorge. Juste pour voir d'où vient le feu !

— Pas question, mon garçon. C'est un secret. »

Le dragon s'endormit. La bouche ouverte, il ronflait.

Olaf se passa de la neige sur tout le corps. Sans bruit, il se glissa entre les grandes dents écartées.

Très inquiet, le renne attendait,

brûlé. Mon cher bestiau, j'ai tout vu : le dragon a une sorte de petit volcan en fusion au fond de la gorge. Quand il souffle, il ravive les braises comme un soufflet de forge. Et alors, il crache ses longues flammes de diable ! Hihihi ! C'est rigolo, maintenant je sais tout », s'exclama-t-il.

Au petit matin, le dragon s'étira :

« C'est bizarre, Olaf : cette nuit, la gorge m'a chatouillé comme si j'avais avalé une plume. Peut-être parce que je me suis enrhumé. Atchoum ! C'est pourtant vrai ! Brr ! Je vais préparer le petit déjeuner. »

une branche prête à coincer la bouche du dragon, s'il voulait pas hasard refermer ses dents de crocodile sur Olaf.

Olaf ne fut pas long :

« Ouf ! Quelle chaleur ! La neige a vite fondu mais je ne me suis pas

Il fit fondre un champignon au chocolat dans une pierre creuse et le but tout fumant.

« Je n'arrive pas à me réchauffer. Décidément, le climat de Laponie ne me vaut rien. Je vais rentrer chez moi. Voulez-vous m'accompagner ? Vous verrez des volcans, des dragons et des flammes, murmura le dragon en claquant des dents.

— Non, merci, Dragon, dit poliment Olaf. Quand je serai grand, peut-être... Je vais sucer une ou deux glaces et puis je rentrerai avec mon renne.

— Eh bien, mes amis, ravi de vous avoir connus. Au revoir», s'écria le dragon en gesticulant.

Il partit vers le sud. Un zigzag de feu dansait sous ses pas.

«Quelle drôle de région ! dit Olaf. Tu vois, renne, mon cher bestiau, dès qu'on parcourt le monde, on rencontre des gens bizarres et on fait des choses incroyables. Si on m'avait dit que je mangerais des champignons de glace avec un dragon fanfaron mais gentil comme tout !»

Le renne hocha la tête.

Olaf s'assit sur son dos et ils s'en retournèrent.

Un Noël en Laponie

La veille de Noël, Olaf le petit Lapon, alla chercher du bois dans la forêt. Il le plaça en tas réguliers dans les sacs qui pendaient aux flancs de son renne, bâté tout comme un âne, je vous le dis. Alors, il cueillit un bouquet de houx et repartit en tenant l'animal par le licou.

Tip ! tap ! tip ! tap ! Un bonhomme vêtu de rouge clopinait sur le chemin. Il portait une barbe blanche qui lui arrivait à la taille. Le petit Lapon reconnut le père Noël, tout pareil aux dessins des cartes de vœux. Il dépassa Olaf :

« Bonjour, mon garçon ! s'écria-t-il. Tu vois, je fais ma tournée. Hé ! hé ! Ma hotte est remplie de jouets. Mais quelle idée ! J'ai laissé mon traîneau dans la clairière. Je suis tellement distrait. En plus, juste aujourd'hui, j'ai mis des bottes neuves. Si tu savais comme j'ai mal aux pieds ! »

Tip ! tap ! tip ! tap ! Il poursuivit sa route.

Tout en marchant, Olaf pensait à la drôle de rencontre qu'il venait de faire : « Ça alors, c'était vraiment le père Noël. J'espère qu'il a un jouet pour moi. J'avais commandé une auto en bois. »

Mais alors, savez-vous ce qu'il vit au détour du chemin ? Le père Noël, oui, comme je vous le dis ! Assis par terre, il avait ôté ses bottes, ses chaussettes et il massait ses pieds douloureux.

« Oh ! là ! là ! gémissait-il. Je ne peux plus marcher. J'ai des ampoules aux pieds. »

Olaf s'arrêta :

« Je suis le petit garçon que vous avez croisé tout à l'heure, vous vous en souvenez ? Puis-je faire quelque chose pour vous ? » demanda-t-il.

Le père Noël le regarda. Et puis, il vit le renne, et son visage s'éclaira :

« Bien sûr, j'aurais besoin d'une monture. Si tu pouvais me prêter ton renne ! »

Comme Olaf ne se séparait jamais de son animal bien-aimé, il proposa au père Noël de l'accompagner dans sa tournée. Aussitôt dit, aussitôt fait, hop là ! Le père Noël s'assit sur le dos du renne. Olaf l'attrapa par le licou et ils marchèrent en parlant de choses et d'autres. Le père Noël dit qu'il avait beaucoup de travail. Une secrétaire était même chargée de trier le

courrier qu'il recevait du monde entier ! Ils s'arrêtèrent devant toutes les cabanes de la forêt. Mmm ! Ça sentait bon le rôti et les pommes au four.

Le père Noël descendit par les cheminées pour déposer des cadeaux dans les souliers des petits enfants. Bien entendu, il n'oublia pas les sabots d'Olaf.

Quand la tournée fut terminée, ils regagnèrent la clairière. Six rennes aux bois d'argent étaient attelés à un magnifique traîneau rouge, vous savez, comme celui qu'on voit sur les bûches glacées. Le père Noël s'installa

et hue ! et dia ! il fouetta l'air de sa cravache, zig ! zig ! juste pour faire un peu de bruit.

Les rennes s'élancèrent sous la lune. Elle étincelait sur le lac gelé comme une assiette tout frais lavée.

«Au revoir, père Noël ! cria Olaf.

— A l'année prochaine, petit garçon. Merci beaucoup !»

Olaf s'en retourna chez lui. La lumière brillait à l'unique fenêtre de la petite cabane.

«Te voilà enfin ! s'exclama son papa. J'allais partir à ta recherche. Sais-tu l'heure qu'il est ? Le père Noël

155

est déjà passé !

— «Papa, j'ai été retardé, expliqua Olaf. Nous allons pouvoir nous chauffer. Regarde tout le bois que j'ai rapporté.»

Beaucoup de bonnes choses trônaient sur la table de la cuisine. La maman d'Olaf avait même fait un genre de gâteau à l'écorce de bouleau pour le renne ! Olaf découvrit ses cadeaux. Il y avait la fameuse auto en bois mais aussi des outils de menuisier, un ballon, des patins à glace, des

chocolats enveloppés dans du papier doré, une couverture pour le renne et un mot du père Noël qui disait : «Coucou, c'est moi !»

En cette belle nuit de Noël, Olaf regarda longtemps la lune par la fenêtre décorée de guirlandes de givre.

Il pensait au traîneau ramenant le père Noël qui avait mal aux pieds dans son pays magique, et il était heureux, si heureux d'avoir pu l'aider, si vous saviez !

Le sapin bleu

Il y avait, au cœur de la forêt, un sapin extraordinaire. Alors que ses frères s'habillaient de vert, il était tout en bleu. Cela ne l'empêchait pas d'être heureux. Il vivait au grand air, entouré d'oiseaux et d'écureuils. Mais par malheur, un promeneur le découvrit et le sapin ne connut plus de répit. L'homme ameuta le village. Bientôt la nouvelle se répandit jusqu'en première page du journal du pays :

« POURQUOI CE SAPIN N'EST-IL PAS VERT ? »

C'est ce qu'on se demanda dans tout l'univers. Les scientifiques eux-mêmes ne purent trouver la clé de ce mystère.

En attendant d'y voir plus clair, on entoura la forêt de barrières et l'on fit payer les curieux qui voulaient voir le sapin bleu. Ils pique-niquaient au pied de l'arbre sans verdure, le décoraient de papiers gras et d'épluchures, plantaient un canif dans son tronc pour y graver leur nom. Le petit sapin gémissait mais personne ne l'entendait.

« De quoi te plains-tu ? lui disaient ses frères. On parle de toi partout sur la terre ! On dit même qu'un peintre va faire ton portrait.

— Ça m'est bien égal ! soupirait le sapin ; qu'on me laisse tranquille, au moins le dimanche ! Les oiseaux ne viennent plus se poser sur mes branches. »

Mais sa prière ne fut pas entendue. Un matin, un camion pénétra dans la forêt en crachant de la fumée. Il s'arrêta au pied du sapin que trois hommes encerclèrent, pelles à la main. Ils se mirent à creuser tant et si bien qu'ils le déterrèrent. Ils le soulevèrent, « oh hisse ! » puis le jetèrent dans le camion sans ménagements.

« Au secours ! cria le sapin, c'est un enlèvement ! »

Ses frères, un peu jaloux de son succès, ne firent rien pour l'aider. On emporta le sapin bleu dans un musée. Et ce qui devait arriver arriva : il tomba malade ! Toutes ses épines tombèrent par terre. En apprenant la

nouvelle, le directeur du musée se mit en colère.

« Ce sapin n'est pas une affaire ! Il n'en reste plus rien ! Allez, jetez-moi ça ! » dit-il au gardien.

Ce dernier balaya les épines, puis jeta le sapin dans la cour. C'est alors qu'arriva le peintre. Quand il sut que son modèle était à la poubelle, il fit demi-tour et l'aperçut, allongé parmi des pots cassés, des papiers, des vieux tickets. Il était trop tard pour faire son portrait. Pourtant, le peintre décida de ne pas l'abandonner. Il alla l'enterrer dans son jardin. Après tout, ce n'était pas n'importe quel sapin ! Il le coucha dans un fossé au fond de son potager et le recouvrit de mousse.

Le petit sapin évanoui retrouva peu à peu ses esprits. Il respira le parfum de la terre et, fou de joie, se releva, de la mousse plein les bras.

« Eh bien, dit le peintre, le voilà sur pied ! Je vais aller le replanter dans la forêt. »

Et ce qui fut dit fut fait.

En voyant le sapin, ses frères se moquèrent de lui :

« Avec une perruque tu es bien plus joli, mais tu ressembles de moins en moins à un sapin ! »

Le petit arbre ne dit rien. Les oiseaux, ses amis, se posèrent sur ses branches recouvertes de mousse, et

décidèrent d'y installer leurs nids. Il abrita ainsi des familles entières, les protégea du vent, de la poussière, organisa des concerts et des bals. C'était l'arbre idéal !

Un jour, alors qu'il avait la garde des oisillons, il aperçut au loin des bûcherons. Puis il entendit des coups sourds et vit les sapins tomber un à un. Tremblant, il attendit son tour. Mais les petits oiseaux se mirent à piailler et il n'eut pas le cœur de les abandonner. Comment faire pour les sauver ? Soudain, il eut une idée : il s'étira de tout son long, déterra ses racines engourdies et se coucha avec mille précautions pour ne pas abîmer les nids. Les bûcherons ne firent même pas attention à lui. Un arbre déraciné n'intéresse pas les bûcherons. Quand ils furent partis, le petit arbre rechaussa ses souliers de terre. Depuis ce jour, par-delà les montagnes, les forêts, les hivers, son exploit fait l'admiration de tous les sapins verts !

Les vacances
de la fée Gertrude

A la naissance de la princesse Frisette, la fée Gertrude, sa marraine, lui donna la beauté, l'intelligence et un baiser. A ses dix-huit ans, elle la maria à un prince gentil et bien élevé. Ensemble ils eurent beaucoup d'enfants et décidèrent de vivre longtemps, très heureux.

Maintenant Gertrude pouvait souffler un peu. Elle allait prendre des vacances.

Quand l'été arriva, Gertrude remplaça sa tunique étoilée par une robe fleurie et son chapeau pointu par un chapeau de paille. Dans son sac, à côté de l'ambre solaire, elle rangea une mini-baguette magique puis s'en alla au bord de la mer.

Arrivée à la plage, ravie d'avoir déserté les chambres glacées du château, Gertrude s'allongea avec volupté sur le sable chaud. Elle commençait à s'endormir quand un ballon atterrit sur son nez. D'un bond elle se leva pour protester et se retrouva coiffée d'un parasol sur qui le vent avait soufflé.

«Bon, dit Gertrude, la mer est belle, le ciel est bleu, le soleil brille. Pas la peine de se fâcher pour un malheureux ballon et un parasol. Allons nous baigner.»

A peine avait-elle mis un pied dans l'eau qu'un crabe, qu'elle avait dérangé en plein sommeil, lui pinça les orteils pour se venger. Gertrude renonça à nager.

Une glace double vanille-chocolat saurait bien lui faire oublier ses malheurs. Mais un petit garçon farceur, en passant, la bouscula. La glace alla s'écraser dans le dos d'une dame qui se mit à hurler.

C'en était trop !

A bout de patience, Gertrude loua un pédalo et partit loin sur la mer. Les

flots étaient déserts. Le nez au vent, notre bonne fée pédalait tranquillement, et elle s'endormit tout en pédalant. Son pédalo dériva vers le large.

Au détour d'une vague, il tomba sur un paquebot qui refusa de céder le passage.

«Toouut !» fit-il sans s'arrêter.

Réveillée en sursaut, Gertrude n'eut que le temps de plonger. Le pédalo accidenté coula à pic. Sa passagère fit donc naufrage en pleine mer et sans baguette magique. Il ne lui restait plus qu'à rentrer à la nage. Malgré son courage, au bout de quelques brasses elle s'arrêta, épuisée.

«Adieu, Frisette, murmura-t-elle, je vais couler.»

Soudain, miracle, elle eut pied ! Si elle pouvait marcher, c'est que la terre n'était pas loin. Erreur.

Gertrude était debout sur un sous-marin. Décidée à faire avec lui un bout de chemin, elle s'accrocha au périscope. Or, le sous-marin plongea sans prévenir et Gertrude crut qu'elle allait mourir. D'ailleurs, ça y est, elle montait au ciel.

Pour savoir à quoi ressemblait le paradis des fées, elle regarda autour d'elle et ne vit que des poissons qui frétillaient. Elle n'était pas au paradis mais dans un filet. Des pêcheurs le tiraient hors de l'eau pour le vider dans leur bateau.

A cause de Gertrude, qui n'était pas légère, le filet se perça et tous les prisonniers retombèrent à la mer.

Emportée par le courant, Gertrude se heurta à une paire de skis qu'elle prit pour un radeau. A bout de force, elle s'y accrocha. Mais sur les skis se tenait un homme tiré par un bateau.

Quand celui-ci accéléra en faisant vrombir son moteur, il emporta non seulement le skieur mais aussi Gertrude, la bonne fée qui, au premier virage, fut éjectée.

Elle atterrit sur un matelas pneumatique abandonné qu'une grosse vague poussa vers le rivage. Enfin, Gertrude arriva à bon port sur sa serviette de bain.

Mais sur la plage il y avait un jeune chien fou qui creusait des trous. Il grattait le sable avec ses pattes et l'envoyait partout.

Les enfants couraient, des radios braillaient, des ballons menaçaient de tomber.

Agacée, Gertrude fouilla dans son sac et trouva ce qu'elle cherchait : sa mini-baguette magique. Quelle bonne idée de l'avoir emportée ! Elle la pointa sur tout ce qui bougeait et cria : «Disparaissez !»

Le chien, les ballons, les radios, les sous-marins, les paquebots, les skieurs, les bateaux, les crabes disparurent aussitôt. Gertrude alla s'acheter un esquimau au chocolat qu'elle mangea au calme. Puis, debout face à la mer, elle déclara :

«L'année prochaine, j'irai à la montagne !»

Le poisson rouge qui devint bleu

Il était une fois un poisson rouge qui devint bleu. Nul ne sut jamais pourquoi. Peut-être avait-il trop regardé le ciel, par la fenêtre ouverte. Peut-être avait-il fixé trop longtemps les yeux bleus de Kim, huit ans. Peu importe. Le petit poisson était tout simplement heureux d'être bleu.

« Bleu comme un poisson dans l'eau ! » chantonnait-il en sautillant dans son aquarium.

Un poisson qui chante ! Ce fut Kim

le plus étonné. Alors, il chantonna avec lui : « Je suis un poisson bleu. Bleu comme un poisson dans l'eau ! »

Bizarre ! Kim se sent tout drôle, comme s'il rapetissait. Oh ! comme la table est haute ! Et le buffet ! Hop ! il bondit. Plouf ! dans l'aquarium. Kim s'est transformé en petit poisson bleu.

« Bleu comme un poisson dans l'eau ! » chantent les deux compères.

Intriguée par cet air, la maman de Kim s'approche de l'aquarium et pousse un petit « oh ! » de surprise.

« Kim, viens vite, il y a maintenant deux poissons bleus ! Kim, mais dépêche-toi donc ! »

Kim ne répond pas. Il se trouve bien en petit poisson bleu.

« Kim, mais où es-tu ? » insiste la maman.

Les deux petits poissons reprennent de plus belle leur chanson favorite.

« Bleu comme un poisson dans l'eau ! La la la la la lalère. Bleus comme deux poissons bleus... »

Charmée par la mélodie, la maman de Kim se met à chantonner à son tour :

« Je suis un poisson bleu. Bleu comme un poisson dans l'eau ! »

Et hop ! la voilà, elle aussi, transformée en petit poisson bleu. Maman-poisson. Elle frétille dans l'aquarium, elle voudrait bien redevenir une grande personne, mais comment faire ?

« Maman, comment te sens-tu en poisson ? demande Kim.

— Kim ! C'est toi ! En petit poisson bleu ! C'est impossible ! Il faut vite sortir de là ! J'ai le repas à préparer. »

Pour toute réponse, Kim reprend la chanson du petit poisson bleu. Et si fort que Marie, sa petite sœur, et son papa s'en viennent aux nouvelles.

« Trois petits poissons bleus ! s'étonne Marie. Qu'ils sont mignons ! C'est sûrement Kim qui les a rapportés de la fête foraine. Quelle jolie chanson ! »

Marie la fredonne à son tour.

« Papa, chante avec moi ! » dit-elle.

Ils chantent en duo et les voilà

bientôt changés en petits poissons bleus.

« Quelle histoire ! dit le papa. Il faut appeler du secours.

— Je me sens très bien en petit poisson ! dit Marie.

— Désormais, nous vivrons dans l'aquarium ! fait Kim. Et quand les gens nous chercheront, ils ne nous trouveront pas. Ils croiront que nous avons disparu pour toujours.

— Ça suffit ! dit le papa. Il faut vite sortir de là. Je dois rentrer la voiture. »

Sortir de là ? Facile à dire. Y a-t-il une formule magique ?

« Attention ! dit le papa. Voilà le chat ! »

Plouc, le chat noir aux pattes blanches, s'est hissé sur la commode où se trouve l'aquarium. Il colle son museau à la paroi de verre. Les cinq petits poissons bleus tremblent de peur. Le bleu de leurs écailles pâlit à vue d'œil. Le chat miaule, puis lève une patte.

« Il va nous croquer vivants ! dit la maman.

— Plouc, ne fais pas l'andouille ! fait le papa.

— Petit chat, laisse-nous la vie sauve ! implore Marie.

— Chantons ! décide Kim. Chantons la chanson du poisson bleu. »

Ils chantent tous les cinq à tue-tête.

Plouc a plongé une patte dans l'aquarium. Les poissons bleus se sont écartés. Ils chantent plus fort, plus fort encore, si fort que bientôt le chat se met à miauler la chanson du poisson bleu.

« Je suis un poisson bleu. Bleu comme un poisson dans l'eau ! » miaule-t-il.

Sauvés ! A peine a-t-il entamé la chanson qu'il s'est transformé à son tour en petit poisson bleu !

« Te voilà puni ! dit le papa. La prochaine fois, tu laisseras les petits poissons tranquilles. »

Les heures passent. Les poissons bleus nagent comme des champions olympiques. La nuit va tomber. Le téléphone sonne. Puis, c'est la sonnerie de la porte d'entrée. Trois coups. On n'insiste pas.

« Cette eau est glaciale ! dit le papa.

— Ce petit jeu a assez duré ! dit la maman. Retrouvons notre apparence humaine. »

Ils ont beau tout essayer, rien à faire. Ils chantent la chanson à l'envers, en anglais, en espagnol, en allemand, ils font des grimaces, ils...

« N'insistez pas ! dit alors le vrai petit poisson bleu. Moi, je connais la formule. Je vous la donne à une condition...

— Vite. Tous tes vœux seront exaucés ! dit le papa.

— J'en ai assez d'être un poisson d'aquarium ! Je veux désormais être un petit garçon. Disons, de... cinq ans ! Et si je prononce la formule avec vous, je deviendrai aussi une personne.

— D'accord ! dit la maman.

— Tenez-vous prêts ! fait le petit poisson bleu. Répétez le moindre de mes gestes. »

Il fallut faire six fois le tour de l'aquarium, nager cinq minutes sur le dos, rire aux éclats, fermer les yeux puis les rouvrir, et enfin prononcer la formule magique : « Toup tap tip, tip tap toup, glouglou glagla glouglou, adieu les poissons bleus ! »

Aussitôt, chacun reprit sa forme initiale.

« C'est qui, celui-là ? demanda le papa.

— C'est moi, le poisson bleu transformé en petit garçon. J'ai cinq ans. Bonjour, papa. »

On passa toute la soirée à chercher un prénom à ce nouveau petit frère. On finit par l'appeler Ludovic. Ludo.

« Au fait, demain, il faudra songer à acheter un nouveau poisson rouge ! » dit Kim.

Un homme sans cœur

Il était une fois un homme ni bon, ni méchant, ni heureux, ni triste, qui n'aimait personne. On disait que, s'il était ainsi, c'était parce qu'il n'avait pas de cœur. D'ailleurs, il n'avait pas d'amis. Seul un petit chat gris lui tenait parfois compagnie. Il était entré par la fenêtre de la cuisine et, sous le regard indifférent du maître des lieux, s'était régalé des restes de son repas. Depuis ce jour, il revenait finir les plats, ravi qu'on ne se soucie pas de lui. Puis, le ventre plein, il faisait une minutieuse toilette et s'endormait en rond sur la table.

Un beau matin, le petit chat gris se faufila chez sa voisine de palier. La jeune fille chez qui il était entré, le trouva confortablement installé sur un fauteuil, au coin du feu. Elle lui gratta le nez, le cou, le taquina, l'écouta ronronner. Il était si gentil et si doux qu'elle décida d'en faire son ami. Comme elle n'avait personne à qui se confier, elle lui avoua au creux de l'oreille son amour pour son voisin, l'homme sans cœur. Elle aurait fait n'importe quoi pour lui en donner un !

«Je connais quelqu'un qui peut faire ton bonheur !» s'écria soudain le chat.

La jeune fille n'en revenait pas. Non seulement ce chat parlait comme vous et moi, mais encore il lui annonçait une bonne nouvelle. D'émotion, elle s'évanouit.

Quand elle eut recouvré ses esprits,

le chat l'invita à le suivre dans un bar. Il commanda pour elle un petit verre d'anis et pour lui une menthe à l'eau dans laquelle il trempa son museau.

Au fond du bar, deux hommes assis autour d'une table jouaient aux cartes.

«Roi de cœur ! annonça l'un deux.

— Voici notre homme !» murmura le chat.

En un bond, il fut sur la table.

«Sire, dit-il en s'inclinant devant le roi de cœur, excusez-moi d'interrompre votre partie ; il y a là une jeune fille qui voudrait vous parler.»

170

Le roi se leva, abandonnant le dix de trèfle qui gisait à ses pieds.

«Bon, bon, j'écoute, dépêchons, dit-il d'une voix bourrue, j'ai à faire. Je prépare un guet-apens dans lequel le valet de pique, ce benêt, ne manquera pas de tomber !

— Bravo ! s'écria la jeune fille. Je ne vais pas trop vous retarder, ajouta-t-elle, j'ai juste une petite question à vous poser : connaissez-vous un moyen de donner du cœur à ceux qui n'en ont pas ?

— Dans mon pays, répondit le roi, pousse une fleur qui a ce pouvoir. Seulement il n'est pas facile de la cueillir ! Je ne vous accompagne pas, j'ai une bataille à finir. Adieu !» dit le souverain.

Sur le tapis vert l'attendait le valet de cœur, son homme de main.

La jeune fille s'en alla, le chat sur son épaule.

«Quel drôle d'homme ! miaula celui-ci. Il s'enferme dans un bar alors que son pays est si joli ! Je vais t'y conduire.»

Il s'élança sur les trottoirs bordés de caniveaux et s'engagea dans un long dédale de rues, hérissées de panneaux. La jeune fille avait du mal à suivre un guide aussi rapide. Elle le perdait de vue, le rattrapait, mais il la distançait de nouveau et elle le rejoignait tout essoufflée. Il s'arrêta devant la grille d'un jardin, dans lequel ils entrèrent.

Les grands arbres se penchèrent pour les saluer, le vent récita un compliment, un petit nuage lança une goutte de pluie et le soleil vint les embrasser avec chaleur. Le jardin était aussi vaste qu'un pays. C'était celui du roi de cœur. La jeune fille et le chat prirent une petite route entourée de prairies à l'habit vert tendre, parsemé de boutons d'or. Ils rencontrèrent un lutin coiffé d'un bonnet rouge et lui demandèrent où se trouvait la fleur d'amour.

«Elle pousse au sommet de la mon-

tagne rieuse, répondit-il, mais l'ascension est périlleuse car la montagne est chatouilleuse. Elle se cache là-bas, derrière la forêt. Bonne chance !»

La jeune fille et le chat suivirent le chemin indiqué et arrivèrent au pied de la montagne. Ils essayèrent de trouver un moyen de l'escalader sans la chatouiller. Après deux heures de réflexion, le chat, perdant soudain patience, prit son élan et sauta d'un bond sur son ventre. Aussitôt la montagne partit d'un grand éclat de rire qui la secoua si fort que la neige enroulée autour de son cou glissa, emportant avec elle le petit chat. Une boule blanche roula par terre. A l'intérieur, le petit animal glacé se mit à éternuer.

«Pauvre chaton ! s'exclama la jeune fille en libérant le prisonnier. Dans quelle aventure t'ai-je entraîné ! A présent te voilà bien enrhumé !»

Et sur ces mots, elle éclata en sanglots.

La montagne ouvrit un gros œil rond et regarda la jeune fille avec curiosité. C'était la première fois qu'elle voyait quelqu'un pleurer. Elle se sentit soudain toute drôle. Des petites cascades bleues se mirent à couler de ses yeux.

«Eh bien, que vous arrive-t-il ? demanda la jeune fille en lui tendant son mouchoir.

— Je ne sais pas, répondit la montagne. Je suis toute renversée ! C'est sans doute de votre faute.

— Mais je ne vous ai rien fait ! protesta la jeune fille. On ne peut pas en dire autant de vous ! Regardez dans quel état vous avez mis mon petit chat. Il est à moitié mort de froid.»

A ces mots, la montagne pleura de plus belle et la jeune fille eut pitié d'elle.

«Allons, allons, ce n'est pas si grave. Un peu de chaleur le remettra d'aplomb. J'ai une idée ! S'il grimpait sur vos épaules, il se retrouverait juste en dessous du soleil. Son poil sécherait, ses moustaches brilleraient et son regard redeviendrait de miel.

— Vous croyez ? dit la montagne en souriant à travers ses larmes. Alors, qu'il vienne vite se réchauffer !»

Le petit chat ne se fit pas prier. Il bondit à nouveau sur le ventre de la montagne qui se pinça pour ne pas éclater de rire. Elle l'aida à grimper sur ses épaules en courbant le dos.

Écarlate, les joues gonflées de fous rires prêts à exploser, elle était au supplice. Sentant qu'elle n'allait bientôt plus pouvoir se contenir, la jeune fille lui raconta des histoires tristes. La montagne retrouva vite son sérieux et même menaça de fondre en larmes.

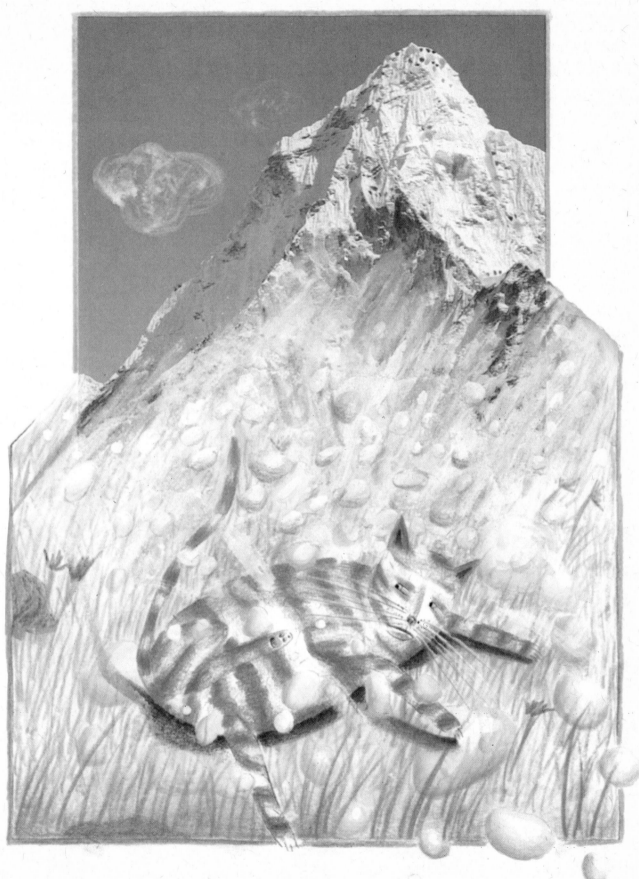

La conteuse s'empressa alors de changer de sujet. D'un ton badin, elle parla de la pluie et du beau temps. La montagne, très bavarde de nature, se mit à lui faire un exposé sur les saisons ; et tout en devisant sur l'été, l'automne et le printemps, elle oublia le chaton. Ce dernier, couché sur ses épaules, ronronnait au soleil. Avant de cueillir une fleur d'amour, il en respira plusieurs qu'il chatouilla avec ses moustaches. La montagne n'y tint plus. Elle éclata soudain de rire, au beau milieu de son discours. Le chaton, sentant la terre trembler, la quitta sans tarder. Il sauta sur le sol, retomba sur ses pattes, avec la fleur qu'il avait choisie.

Le lendemain matin, la jeune fille alla rendre visite à son étrange voisin.

«Tenez ! lui dit-elle quand il ouvrit la porte, c'est pour vous !»

Il prit la fleur, la respira et aussitôt sentit quelque chose battre dans sa poitrine. Il regarda la jeune fille, lui sourit et eut envie de devenir son ami. Pour fêter cet événement, le chat les invita à boire un verre de jus de fruit.

Dans le bar où ils allèrent, ils rencontrèrent le roi de cœur. Ce dernier, fatigué de faire la guerre, abandonna son tapis vert, et les rejoignit. Puis il les emmena dans son joli pays.

C'est là que fut célébré, par un beau soir de juin, le mariage de la jeune fille et de son voisin.

Cette nuit-là, on dansa jusqu'à l'aurore et la montagne s'amusa tant qu'elle en rit encore.

Scott le fantôme

Scott était blanc de la tête aux pieds, avec des lunettes noires. Il avait deux mille ans et s'ennuyait tout seul chez lui. Se faire des copains quand on est un fantôme, ça n'est pas facile ! Scott le savait bien.

Pour se distraire, il avait pensé ouvrir un magasin. Oui, mais pour vendre quoi ? De la toile d'araignée ?

Scott cherchait donc une idée quand il tomba sur un vieux livre de cuisine.

«J'ai trouvé ! s'écria-t-il. Vite, mes casseroles, mon chapeau, mon tablier, je vais faire des gâteaux !»

Les recettes qu'il avait choisies n'étaient pas compliquées, mais bientôt d'étranges gâteaux avec des bulles, de la mousse et des lumières sortirent de ses fourneaux.

En attendant qu'ils refroidissent, Scott alla donner un coup de balai dans sa salle à manger. Puis il y installa des tables avec des bouquets. Pour finir, il enleva de devant sa porte l'écriteau : *Maison hantée* et le remplaça par : *Salon de thé.*

Les premières clientes ne se firent pas attendre. Deux vieilles dames avec petit chapeau et sac à main s'ins-tallèrent près de la fenêtre. Arrivèrent ensuite trois demoiselles, un gros monsieur gourmand, et quelques enfants sages avec leurs mamans.

Scott ne savait plus où donner de la tête, mais il était content. Quand il apporta ses drôles de gâteaux, il y eut des cris de surprise. Puis, par curiosité ou gourmandise, chacun voulut y goûter.

A la première bouchée, les deux vieilles dames se transformèrent en pies, les demoiselles en perroquets, le gros monsieur en dragon furieux, tous les enfants en cerfs-volants et leurs mamans en chat, en poule et en éléphant. Quelle pagaille !

Scott alla se réfugier dans la pièce à côté.

«Qu'est-ce qui leur prend ? gémit-il. Du temps de mon grand-père Édouard, les humains n'étaient pas si bizarres !»

Mais en examinant de plus près le livre de cuisine, il s'aperçut qu'il s'était trompé.

C'était le livre des sortilèges et il avait fait des gâteaux enchantés ! Par chance, la formule magique pour tout arrêter figurait au dos des recettes.

Il suffisait de dire : «ABRACADA-STOP».

Sans perdre un instant, Scott se précipita dans la salle à manger où régnait le plus grand désordre.

«ABRACADASTOP !» hurla-t-il, et l'enchantement prit fin. Chacun retrouva son apparence habituelle.

«Sauvons-nous, dirent les vieilles dames toutes ébouriffées, cette maison est ensorcelée !»

Scott se retrouva seul, comme avant. Bien décidé cependant à ne pas le rester, il enleva de devant sa porte l'écriteau : *Salon de thé* et le remplaça par une affiche : *Ce soir, spectacle gratuit pour les grands et les petits : la danse du fantôme.*

A huit heures, les curieux arrivèrent.

Quand tous furent installés, Scott remonta son piano mécanique.

«Musique !» cria-t-il.

Puis il fit trois petits pas, salua le

public. On applaudit. Scott se mit à tourner de plus en plus vite, danser, sauter, courir. On continua d'applaudir.

Grisé par son succès, Scott perdit toute mesure et passa à travers un mur. Un silence consterné se fit dans l'assistance.

Quelqu'un hurla :

«C'est un VRAI fantôme !» et tous s'enfuirent comme un seul homme.

Découragé, furieux, Scott remplaça l'affiche sur sa porte par un panneau : *Maison à vendre.* Puis il monta dans le grenier, s'enferma dans une malle et décida de ne plus en bouger.

Deux cents ans plus tard, la maison fut vendue. Le jeune Balthazar y habitait avec ses parents.

Balthazar n'avait ni frère, ni sœur, ni chat, ni chien, personne, rien.

Comme il s'ennuyait, il entreprit

de visiter le grenier. Au moment où il y entra, Scott se réveilla.

«Chouette, un fantôme !» s'écria Balthazar.

Scott n'en crut pas ses lunettes. Enfin, quelqu'un qui ne s'enfuyait pas. Ce fut le début d'une grande amitié. Scott et Balthazar ne se quittèrent jamais. Il paraît même, mais il faudrait le voir pour en être sûr, que maintenant Balthazar aussi passe à travers les murs.

Petit à petit

Il a fallu que j'attende d'avoir un an pour marcher sur mes jambes, puis deux pour toucher le rebord de la table avec mon front.

A quatre ans, je pouvais monter sur un tabouret et ouvrir le placard de la cuisine. Dedans, rien de très intéressant à part des cornichons et du chocolat noir.

A six ans, je savais lire, ouvrir les robinets, jouer aux cartes avec le fils de l'épicier.

Huit ans, j'allais tout seul à la piscine.

Dix ans, j'avais déjà fait le tour du quartier. Maintenant, plus rien ne pouvait m'arriver. Je décidai de partir explorer l'Afrique avec mes jumelles, ma boussole et un cahier pour tenir mon journal :

— *Première page :*

Mercredi 7 avril : c'est le grand départ. Je ne dis rien à maman qui pleure sur les quais de gare. Je lui ai seulement laissé un mot : «Je vais en Afrique ; à bientôt.» Signé : «Ton fils Arthur», au cas où elle ne reconnaîtrait pas l'écriture. La gare doit être au sud. Avec ma boussole, j'y serai avant ce soir. Mince, il commence à pleuvoir !

— *Deuxième page :*

Il pleuvait si fort que j'ai dû m'abriter dans une cage d'escalier et là, qui ai-je vu arriver ? Mon instituteur ! Tu parles d'une veine pour un explorateur !

A l'école, on l'appelle La Loupe, à cause de ses grosses lunettes. Même avec ça, il nous confond. C'est pratique pour les leçons. C'est celui qui sait qui s'y colle et qui récite pendant que les autres rigolent.

— *Troisième page :*

Juste au moment où j'allais m'en aller, j'ai entendu crier :

«Ohé, quelqu'un !»

Ça venait de l'ascenseur. Stoppé net en plein élan avec mon instituteur dedans.

J'ai couru chez la concierge.

«La concierge est sortie.» C'était écrit sur sa porte.

«S'il vous plaît, sortez-moi de là !» faisait le prisonnier.

— *Quatrième page :*

Finalement je suis monté. Au cinquième étage, devant la porte de l'ascenseur, on ne voyait que la tête et les épaules de mon instituteur. Pas de chance, il était presque arrivé.

«Qu'est-ce que tu fais ici, toi ? m'a-t-il demandé.

— Ben, rien, m'sieur.

— Tu me suivais ?

— Non, m'sieur, ma tante habite ici.»

Bien obligé de lui mentir. Je n'allais tout de même pas lui dire que j'étais en route pour l'Afrique.

«Alors, qu'est-ce que tu attends pour aller la chercher ?

— Euh… m'sieur, elle a déménagé.»

Il a pris un drôle d'air. C'est sûr, il ne me croyait pas ! Et cette concierge qui ne revenait pas.

— *Cinquième page :*

A croire que l'immeuble était désert. La pluie avait cessé. L'instituteur n'arrêtait pas de regarder sa montre.

«Plus que cinq minutes, a-t-il dit, et moi qui suis coincé ici ! Tu vas y aller à ma place ! Va voir ce qui se passe et viens tout me raconter. Heureusement, le filtre est installé. Tiens, prends les clés, c'est au sixième étage.»

Je n'ai pas discuté. Qu'est-ce que j'allais trouver là-haut ?

— *Sixième page :*

J'ai ouvert la porte, le cœur battant. Au milieu de la pièce, il y avait une grosse lunette visant le ciel à travers la lucarne.

Si les copains savaient ça ! La Loupe qui n'y voit pas à deux pas observe les étoiles ! J'ai collé mon œil à la lunette et j'ai vu le soleil en personne ! Soudain une ombre s'est avancée. Petit à petit le soleil est devenu tout noir. Il ne restait plus autour de lui qu'une incroyable couronne dorée. Puis l'ombre est repartie comme elle était venue. Si on me l'avait raconté, je ne l'aurais pas cru !

— *Septième page :*

Je suis redescendu. L'instituteur commençait a s'impatienter dans son ascenseur. Je lui ai tout décrit. Il s'est frotté les mains et a souri aux anges.

«Arthur, m'a-t-il dit, c'est la lune qui a caché le soleil.»

Une éclipse totale ! Il paraît que ça n'est pas donné à tout le monde de voir des trucs pareils !

On a entendu un cri dans les escaliers.

«Qu'est-ce qu'il fait celui-là dans l'ascenseur ?»

C'était la concierge.

«Je suis coincé !» a dit l'instituteur.

Elle a appelé un réparateur et on a pu le délivrer. On est retourné dans la mansarde et il m'a fait visiter le ciel, avec son télescope. C'est joli. Et c'est immense ! Je ne me croyais pas si petit.

— *Huitième page :*

Je suis rentré à la maison. Maman n'avait pas trouvé mon mot. J'en ai profité pour le déchirer.

La Loupe et moi, on est devenu une paire d'amis. Maintenant, les planètes, ça me connaît. Pourtant, j'ai bien envie d'aller voir ça de plus près.

Tout compte fait, je ne serai pas explorateur. Ça, c'est bon pour mes potes.

Moi, quand je serai grand, je serai cosmonaute.

Fernand
et l'épluchure magique

Les pommes de terre étaient en fleur. Le doryphore dansait tout autour comme un joyeux Indien. Les orties piquaient drôlement, les araignées suspendaient leur toile entre deux myosotis et les truites frétillaient éperdument dans l'écume du torrent.

Ce fut précisément ce moment béni des dieux que l'horrible loup furieux choisit pour mettre le feu à la cabane de Fernand Cochon.

Fernand s'enfuit par la porte de derrière. Il dut laisser sa brosse à dents, son caleçon long et ses recettes de cuisine. Nu comme un ver, il galopa dans un verger, déshabilla vite fait un épouvantail et enfila ses haillons.

Il voulait échapper pour toujours au loup qui le poursuivait. Il quitta donc sa forêt natale et s'installa en ville. Il écrivit son nom et sa profession sur une pancarte qu'il s'accrocha dans le dos :

FERNAND COCHON,
clochard

La nuit, il dormait sous les ponts.

Le jour, il demandait l'aumône à l'entrée d'un supermarché. Il mangeait ce qu'il trouvait : des mues de cigales, des noyaux d'abricots, des miettes de croissant chaud, des restes de sandwich. Ce qu'il aimait par-dessus tout, c'était lécher les petits pots de glace qu'il ramassait dans les poubelles.

Un jour, un gros enfant gâté jeta dans le caniveau un millefeuille entier.

«Hé ! Hé !» fit Fernand, tout content.

Il contempla la pellicule glacée du dessus, si joliment marbrée de zigzags marron. Il essaya de compter les feuilles du gâteau, pour voir s'il y en avait mille ; enfin, il ouvrit grand la bouche. Il la referma aussitôt ! Une affreuse créature au nez crochu se tenait devant lui.

«Donne-moi ton gâteau, petit cochon. Je n'ai rien mangé depuis trois jours», gémit-elle.

«Pas question ! se dit d'abord Fernand. Je l'ai trouvé, je le garde !»

L'inconnue fixait sur lui ses yeux étranges, cernés de noir. Elle était si maigre, et ses mains si tremblantes ! Pris de pitié, Fernand lui tendit son millefeuille.

Quel toupet ! Elle l'avala sans lui en proposer une miette. Et puis elle enleva son masque et son faux nez : c'était en réalité une gracieuse jeune fille.

«Je m'appelle Alicia Filochat, déclara-t-elle. Prends ceci en récompense de ton bon cœur, petit cochon.»

Elle remit son masque de laideron et s'éloigna en boitillant.

Fernand regarda son cadeau : une épluchure ! Alicia Filochat lui avait bel et bien offert une épluchure !

Fernand mordit dedans. Pouah ! En quoi était-elle ? Il ne put ni la manger, ni la casser, ni la couper, ni la déchirer. Perplexe, il la mit dans sa poche.

Fernand flâna le long des quais. Il feuilleta les livres entassés dans les boîtes des bouquinistes, applaudit une danseuse de corde et respira l'odeur du soir.

«J'ai fait une bonne action, pensait-il. N'empêche, mon gâteau me plaisait bien ! Si je pouvais, j'en mangerais douze d'un seul coup !»

Douze millefeuilles alignés sur un plateau en nougatine jaillirent aussitôt d'on ne sait où.

Fernand avala le tout.

Satisfait, il regagna le pont des Trois Monnaies et se coucha dans un carton.

«Ah ! se disait-il. Si je pouvais dormir dans un lit douillet avec des draps de lin, des couvertures de laine et un édredon de plume !»

Le carton se transforma aussitôt en lit.

Fernand était étonné : «Depuis qu'Alicia Filochat m'a donné l'épluchure, j'obtiens tout ce que je veux. C'est bizarre ! Voyons voir un peu !»

Il fit un autre vœu : «J'aimerais bien habiter au bord de l'eau !» et se trouva aussitôt transporté dans une maison bâtie sur la berge du fleuve.

Il eut alors la certitude de posséder une épluchure magique.

Fernand mena enfin la vie qui lui plaisait.

Le matin, il s'occupait de son jardin. L'après-midi, il lisait sous les arbres. Il apprit l'anglais, le sanglier et le latin.

Un soir qu'il s'entraînait à grogner en anglais devant son miroir, la patte poilue du loup furieux le saisit à la gorge.

«Ah ! Ah ! J'ai fini par te retrouver, gros bêta !» ricana ce dernier.

D'abord, Fernand grelotta de peur. Ensuite, il se calma.

«Petite épluchure, aide-moi ! Mets ce loup hors d'état de nuire !» pria-t-il de toutes ses forces.

Le loup fut aussitôt changé en pain de sucre.

Fernand le donna à une reine de fourmilière et les fourmis s'en régalèrent.

Alicia Filochat revint le voir un jour.

«Petit cochon, lui dit-elle, tous tes souhaits ont été exaucés : tu as d'abord obtenu des millefeuilles, ensuite un lit, une maison et enfin, la liberté. Te voilà à présent définitivement débarrassé du loup furieux. L'épluchure a accompli sa mission. Rends-la-moi !»

Elle la planta dans le jardin de Fernand. Une pomme de terre bien ordinaire poussa. Un doryphore s'y installa avec sa femme et ses enfants. Quant à Fernand Cochon, il poursuivit son petit bonhomme de chemin.

50 Histoires courtes

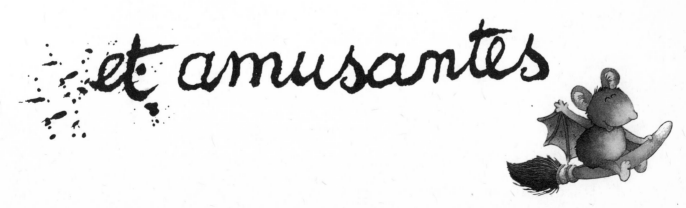

et amusantes